ÉMILE ZOLA

A morte de Olivier Bécaille
seguido de *Nantas* e *A inundação*

Tradução de Marina Appenzeller

www.lpm.com.br

L&PM POCKET

Coleção **L&PM** POCKET, vol. 73

Texto de acordo com a nova ortografia.

Primeira edição na Coleção **L&PM** POCKET: setembro de 1997
Esta reimpressão: julho de 2011

Capa: Ivan Pinheiro Machado sobre tela *Le désespéré* de Gustave Courbet
Revisão: Delza Menin e Ruiz Renato Faillace

Z86m

Zola. Émile, 1840-1902.
    A Morte de Olivier Bécaille e outras novelas / Émile Zola; tradução de Marina Appenzeller. – Porto Alegre: L&PM, 2011.
    128 p. ; 18 cm – (Coleção L&PM POCKET; v. 73)

    ISBN 978-85-254-0714-6

    1. Ficção francesa-novelas. I. Título. II. Série.

                                    CDD 843.3
                                    CDU 840-32

    Catalogação elaborada por Izabel A. Merlo, CRB 10/329.

© L&PM Editores, 1997

Todos os direitos desta edição reservados a L&PM Editores
Rua Comendador Coruja, 314, loja 9 – Floresta – 90.220-180
Porto Alegre – RS – Brasil / Fone: 51.3225.5777 – Fax: 51.3221.5380

Pedidos & Depto. Comercial: vendas@lpm.com.br
Fale conosco: info@lpm.com.br
www.lpm.com.br

Impresso no Brasil
Inverno de 2011

SUMÁRIO

A Morte de Olivier Bécaille / 7
Nantas / 45
A Inundação / 87

A MORTE DE OLIVIER BÉCAILLE

1

Foi num sábado, às seis horas da manhã, que morri, após três dias de enfermidade. Minha mulher remexia há alguns instantes na mala, procurando roupa de cama. Quando se endireitou e me viu rígido, os olhos abertos, sem respirar, acorreu, achando que se tratava de um desmaio, tocando-me as mãos, inclinando-se sobre meu rosto. Em seguida, foi tomada pelo terror; e, transtornada, gaguejou, explodindo em lágrimas:

– Meu Deus! Meu Deus! Ele está morto!

Eu ouvia tudo, mas os sons esmaecidos pareciam vir de muito longe. Só meu olho esquerdo ainda enxergava um clarão confuso, uma luz esbranquiçada onde os objetos se fundiam; o olho direito encontrava-se completamente paralisado. Acontecera uma síncope de todo o meu ser, como que um raio me aniquilara. Minha vontade morrera, nem uma fibra de minha carne obedecia-me. E, nesse vazio, acima de meus membros inertes, apenas o pensamento permanecia, lento e preguiçoso, mas com perfeita nitidez.

Minha pobre Marguerite chorava de joelhos junto ao leito, repetindo, a voz dilacerada:

– Ele está morto, meu Deus! Ele está morto!

Então aquele estado singular de torpor, aquela carne atingida pela imobilidade, enquanto a inteligência continuava funcionando, era a morte? Será que minha alma estaria se demorando assim no meu crânio antes de alçar voo? Desde a infância eu era sujeito a crises nervosas. Por duas vezes, ainda bem jovem, quase fui levado por febres agudas. Em seguida, ao meu redor, todos se acostumaram a me considerar doentio; e eu mesmo proibira que Marguerite fosse chamar um médico quando me deitei na manhã em que chegamos em Paris naquele apartamento mobiliado da rue Dauphine. Um pouco de repouso bastaria, era o cansaço da viagem que me deixava assim tão abatido. No entanto sentia-me tomado por uma terrível angústia. Havíamos abandonado bruscamente nossa província, muito pobres, mal tendo como aguardar meu salário do primeiro mês de trabalho na administração em que conquistara um posto. E eis que uma crise súbita me arrebatava!

Seria a morte? Eu imaginara uma noite mais escura, um silêncio mais pesado. Já bem pequeno tinha medo de morrer. Como era frágil e as pessoas me acariciavam com compaixão, pensava com constância que não sobreviveria, que me enterrariam logo. E aquele pensamento sobre a terra provocava-me um terror ao qual não conseguia me acostumar, embora me obsedasse noite e dia. Quando cresci, conservei essa ideia fixa. Às vezes, após dias de reflexão, acreditava vencer meu medo. Muito bem! Morria-se, tudo acabava; todos morreriam um dia; nada devia ser mais cômodo nem melhor. Chegava a me sentir quase feliz, encarava a morte. Em seguida um arrepio brusco me congelava, entregava-me à minha vertigem como se uma mão gigante me balançasse por cima de um abismo escuro. Era a ideia da terra que voltava e prevalecia sobre meus raciocínios. Quantas vezes à noite acordei sobressaltado sem saber que sopro perpassara meu sonho, e, juntando as mãos desesperado, eu balbuciava: "Meu Deus! Meu Deus! Temos de morrer!". A ansiedade apertava-me o peito, a necessidade da morte parecia-me mais abominável no torpor do despertar. Só tornava a dormir com dificuldade, o sono me preocupava por se parecer tanto com a morte. E se eu estivesse adormecendo para sempre? E se eu fechasse os olhos para nunca mais tornar a abri-los?

Não sei se outras pessoas também sofrem esse tormento que devastou minha vida. A morte ergueu-se entre mim e tudo o que amei. Lembro-me dos instantes mais felizes que passei com Marguerite. Nos primeiros meses de nosso casamento, quando ela dormia à noite ao meu lado, quando pensava nela construindo sonhos para o futuro, todo o tempo o aguardo de uma separação fatal deteriorava minhas alegrias, destruía minhas esperanças. Precisaríamos deixar-nos, talvez amanhã, talvez dali a uma hora. Um desânimo imenso tomava conta de mim, e eu me perguntava para que a felicidade de se estar junto, já que levaria a um dilaceramento tão cruel. Então minha imaginação comprazia-se no luto. Quem iria primeiro, ela ou eu? Ambas as alternativas me enterneciam até às lágrimas desenvolvendo o quadro de nossa vidas partidas. Assim, nas melhores épocas de minha existência tive melancolias súbitas que ninguém compreendia. Quando me acontecia algo de bom, todos se surpreendiam por me ver sombrio. Era porque de repente a ideia de meu vazio atravessara minha alegria. O terrível "Para quê?" ressoava como um toque fúnebre em meus ouvidos. O pior desse tormento, porém, é que o suportamos no contexto de uma vergonha secreta. Não ousamos contar nosso mal a ninguém. Muitas vezes o marido e a mulher, deitados lado a lado, devem arrepiar-se com o mesmo arrepio quando a luz está apagada; e nem um nem outro fala, pois não se fala da morte mais do que se pronunciam algumas palavras obscenas. Tem-se medo dela a ponto de nem se citar seu nome, ela é escondida como ocultamos nosso sexo.

Refletia sobre essas coisas enquanto minha querida Marguerite continuava a soluçar. Dava-me muito dó não saber como acalmar sua dor dizendo-lhe que eu não estava sofrendo. Se a morte era apenas esse desmaio da carne, na verdade não tive razão de temê-la tanto. Era um bem-estar egoísta, um descanso no qual esquecia minhas preocupações. Principalmente minha memória adquirira uma vivacidade extraordinária. Minha vida inteira passava com rapidez diante de mim, como um espetáculo ao qual a partir de então me sentia alheio. Sensação estranha e curiosa que me divertia: parecia uma voz distante que contava minha história.

A lembrança de um pedacinho de terra perto de Guérande, na estrada de Piriac, me perseguia. A estrada faz uma curva, um bosquete de pinheiros desce em debandada uma vertente rochosa. Quando eu tinha sete anos, ia até lá com meu pai, a uma casa semidesmoronada, comer panquecas na residência dos pais de Marguerite, que trabalhavam nos pântanos salgados e já viviam penosamente das salinas próximas. Em seguida, lembrava-me do colégio de Nantes onde crescera, do tédio das paredes antigas, do desejo perene do vasto horizonte de Guérande, dos pântanos salgados a perder de vista, da parte baixa da cidade e do mar imenso disposto sob o céu. Ali escavava-se um buraco escuro: meu pai estava morrendo, eu entrava para a administração do hospital como empregado, iniciava uma vida monótona cuja única alegria eram minhas visitas dominicais à velha casa da estrada de Piriac. Nela, as coisas iam de mal a pior, pois as salinas já não rendiam praticamente nada, e a região resvalava para uma grande miséria. Marguerite não passava então de uma criança. Ela gostava de mim porque a levava para passear de charrete. Porém, mais tarde, na manhã em que a pedi em casamento, compreendi pelos seus gestos amedrontados que ela me achava horroroso. Os pais a deram para mim de imediato; isso iria aliviá-los. Submissa, ela não dissera não. Quando se acostumou à ideia de ser minha mulher, não pareceu por demais aborrecida. No dia do casamento, em Guérande, lembro-me de que chovia torrencialmente; e, quando voltamos para casa, Marguerite teve de ficar de anáguas, pois seu vestido estava ensopado.

Eis toda a minha juventude. Vivemos algum tempo na região. Um dia, quando voltei para casa, surpreendi minha mulher banhada em lágrimas. Ela estava se entediando, queria ir embora. Ao final de seis meses, eu economizara um bom dinheiro, centavo por centavo, graças a alguns trabalhos suplementares; e, como um antigo amigo de minha família tratara de encontrar um posto em Paris para mim, levei minha querida criança para a capital a fim de que ela nunca mais chorasse. No trem ela ria. À noite, como os bancos da terceira classe fossem muito duros, pus Marguerite no colo para que ela dormisse no macio.

Isso era passado. E naquele momento eu acabara de morrer naquele catre estreito de hotel mobiliado, enquanto minha mulher, de joelhos sobre as lajotas, lamentava-se. A mancha branca que meu olho esquerdo enxergava empalidecia aos poucos; mas lembrava-me do quarto com muita nitidez. À esquerda ficava a cômoda; à direita, a lareira, no meio da qual um relógio de pêndulo avariado, sem seu pêndulo, marcava 10h06. A janela dava para a rue Dauphine, escura e profunda. Paris inteira passava por lá, fazendo tanta algazarra que ouvia os vidros tremerem.

Não conhecíamos ninguém em Paris. Como apressáramos a partida, só me esperavam na segunda-feira seguinte em minha administração. A partir do momento em que senti necessidade de ficar acamado, era uma sensação estranha aquele aprisionamento no quarto em que a viagem acabara de nos lançar, ainda estupefatos pelas quinze horas de trem, pasmados com o tumulto das ruas. Minha mulher cuidara de mim com sua doçura sorridente; mas sentia o quanto estava perturbada. De vez em quando, aproximava-se da janela, dava uma olhada na rua e em seguida voltava muito pálida, atemorizada por aquela grande Paris da qual não conhecia uma única pedra e que trovejava tão terrivelmente. E o que faria se eu não acordasse mais? O que seria dela naquela cidade imensa, sozinha, sem um único apoio, ignorante de tudo?

Marguerite tomara uma de minhas mãos que estava pendurada, inerte à beira da cama; beijava-a e repetia com loucura:

– Olivier, responda... Meu Deus! Ele está morto! Ele está morto!

A morte portanto não era o vazio, já que eu ouvia e raciocinava. Só que o vazio me aterrorizara desde minha infância. Não conseguia imaginar o desaparecimento de meu ser, a supressão total do que eu era; e isso para sempre, ainda por séculos e séculos, sem que nunca mais minha existência conseguisse recomeçar. Às vezes eu estremecia quando encontrava em um jornal uma data futura do século seguinte: com certeza eu não estaria mais vivo naquela data, e aquele ano de um futuro que eu não veria, em que não mais seria, enchia-me de angústia. Eu não era o mundo e tudo não desmoronaria quando eu fosse embora?

Sonhar com a vida na morte, esta sempre fora minha esperança. Mas decerto não era a morte. Com certeza acordaria logo. Sim, logo iria inclinar-me e estreitar Marguerite em meus braços para secar suas lágrimas! Que alegria nosso reencontro! E como nos amaríamos ainda mais! Descansaria mais dois dias e depois iria à minha administração. Uma nova vida começaria para nós, mais feliz, mais vasta. Só que eu não tinha pressa. Há pouco estava abatido demais. Marguerite não precisava desesperar-se daquele jeito porque eu não me sentia em condições de virar a cabeça no travesseiro para lhe sorrir. Muito em breve, quando ela dissesse de novo:

– Ele está morto, meu Deus, ele está morto! –, eu iria beijá-la e murmuraria bem baixinho para não assustá-la:

– Não, não, minha filhinha. Eu estava dormindo. Você está vendo que estou vivo e que a amo.

2

Aos gritos de Marguerite, a porta abriu-se bruscamente, e uma voz exclamou:

– O que está acontecendo, vizinha? Mais uma crise, não é?

Reconheci a voz. Era de uma mulher idosa, a Senhora Gabin, que morava no mesmo andar que nós. Ela mostrara-se muito prestativa desde a nossa chegada, comovida por nossa situação. De imediato, contou-nos sua história. Um proprietário intratável vendera seus móveis no inverno anterior; e, desde aquela época, morava no hotel com sua filha Adèle, menina de dez anos. Ambas recortavam abajures, ganhavam no máximo quarenta soldos com esse trabalho.

– Meu Deus! Ele se foi? – perguntou, baixando a voz.

Compreendi que ela estava se aproximando. Olhou-me, tocou em mim, depois tornou a falar com dó:

– Minha pobre menina! Minha pobre menina!

Esgotada, Marguerite soluçava como uma criança. A senhora Gabin ergueu-a, sentou-a na poltrona manca perto da lareira; e ali tentou consolá-la.

– Você vai acabar ficando doente. Não é porque seu marido se foi que você tem de morrer de desespero. Claro que quando perdi Gabin fiquei como você, fiquei três dias sem conseguir praticamente me alimentar. Mas isso de nada adiantou, só me deixou mais deprimida... Pelo amor de Deus... Seja razoável.

Aos poucos, Marguerite calou-se. Não tinha mais forças; de vez em quando, uma outra crise de pranto ainda a abalava. Entrementes a senhora apoderava-se do quarto com uma autoridade grosseira.

– Não se preocupe com nada – repetia. – Justo agora Dédé foi entregar nosso trabalho; além disso, os vizinhos devem se ajudar... Diga, vocês ainda não desarrumaram completamente as malas; mas há roupa de cama na cômoda, não é?

Ouvia-a abrir a cômoda. Ela deve ter pego uma toalha que estendeu no criado-mudo. Em seguida, riscou um fósforo, o que me fez pensar que estava acendendo ao meu lado uma das velas da lareira à guisa de círio. Eu acompanhava cada movimento seu pelo quarto, percebia seus menores gestos.

– Pobre senhor! – murmurou. – Felizmente a ouvi gritar, querida.

E de repente o clarão vago que ainda enxergava com o olho esquerdo desapareceu. A senhora Gabin acabara de fechar meus olhos. Não sentira seu dedo em minhas pálpebras. Quando compreendi, um frio leve começou a gelar-me.

A porta porém tornou a abrir-se. Dédé, a menina de dez anos, entrou gritando com sua voz de flauta:

– Mamãe! Mamãe! Ah, eu bem que sabia que você estava aqui!... Olhe, aqui está o seu dinheiro, três francos e quatro soldos... Trouxe vinte dúzias de abajures...

– Silêncio! Silêncio! Cale a boca! – repetia a mãe em vão.

Como a menina continuasse falando, ela mostrou-lhe a cama. Dédé calou-se, e senti-a recuar inquieta até a porta.

– O moço está dormindo? – perguntou muito baixinho.

– Está, vá brincar – respondeu a senhora Gabin.

A criança, porém, não ia embora. Seus olhos deviam estar arregalados, ela devia estar me olhando perturbada e compreendendo vagamente. De repente, parece ter sido tomada por um medo louco e fugiu derrubando uma cadeira.

– Ele está morto, oh, mamãe, ele está morto!

Reinou um profundo silêncio. Esmagada na cadeira, Marguerite parara de chorar. A senhora Gabin continuava rondando pelo quarto. Tornou a falar entre os dentes.

– As crianças sabem tudo hoje em dia. Veja esta daí. Deus sabe como tento criá-la bem. Quando vai fazer alguma compra ou quando a mando entregar o trabalho, calculo os minutos para ter certeza de que não está passeando por aí... Não adianta nada, ela sabe tudo, só de olhar ela percebeu o que estava acontecendo. No entanto, o único morto que viu foi seu tio François e, naquela época, só tinha quatro anos... Enfim, não existem mais crianças, o que fazer!

Interrompeu seu discurso e passou sem transição a um outro assunto.

– Bem, minha menina, temos de pensar nas formalidades, o atestado de óbito, os detalhes do féretro. Você não tem condições de tratar disso. Eu não quero deixá-la sozinha... Hein? Se você permitir, vou ver se o senhor Simoneau está em casa.

Marguerite não respondeu. Eu assistia a toda aquela cena como de muito longe. Por momentos parecia voar como uma chama sutil pelo ar do quarto, enquanto um estranho, uma massa informe, repousava na cama. No entanto queria que Marguerite recusasse os serviços desse Simoneau. Vira-o três ou quatro vezes durante minha curta enfermidade. Ele morava em um quarto ao lado e mostrara-se muito prestativo. A senhora Gabin contara-nos que ele estava só de passagem por Paris, onde viera recolher antigos créditos de seu pai, aposentado na província e que morrera há pouco tempo. Era um rapaz alto, muito belo, muito forte. Eu detestava-o, talvez porque sua saúde fosse ótima. Na véspera ainda, entrara no quarto e eu sofrera ao vê-lo sentado perto de Marguerite. Ela estava tão bonita, tão branca ao lado dele!

E o jovem contemplara-a com tanta profundidade enquanto ela lhe sorria dizendo que ele era muito gentil por vir daquele modo saber notícias minhas!

– Aqui está o senhor Simoneau – murmurou a senhora Gabin, que acabara de voltar.

Ele empurrou a porta com suavidade e, assim que Marguerite o viu, começou novamente a chorar. A presença daquele amigo, do único homem que conhecia, despertava-lhe a dor. Ele não tentou consolá-la. Eu não conseguia vê-lo; porém, nas trevas que me envolviam, evoquei sua figura, e distinguia-o com nitidez, perturbado, compadecido por ver a pobre mulher em tal desespero. E como ela devia estar bonita com seus cabelos louros soltos, seu rosto pálido, suas queridas mãozinhas de criança ardendo de febre!

– Coloco-me à sua disposição, minha senhora – murmurou Simoneau. – Se quiser que me encarregue de tudo...

Ela respondeu-lhe por palavras entrecortadas. Contudo, como o jovem estivesse indo embora, a senhora Gabin acompanhou-o, e eu a ouvi falar de dinheiro passando perto de mim. Aquilo sempre custava muito caro; ela temia que a pobre moça não tivesse um centavo. Em todo caso, podiam perguntar-lhe. Simoneau fez a velha calar-se. Não queria atormentar Marguerite. Passaria na prefeitura e encomendaria o féretro.

Quando o silêncio tornou a cair, perguntei-me se aquele pesadelo perduraria assim por muito tempo. Estava vivo, já que percebia os menores gestos que se passavam ao meu redor. E começava a ter uma consciência exata de meu estado. Devia tratar-se de um daqueles casos de catalepsia de que ouvira falar. Já quando era criança, na época de minha grande doença nervosa, tivera síncopes de várias horas. Evidentemente era uma crise dessa natureza que me mantinha rígido como um morto e enganava a todos em torno de mim. O coração, porém, tornaria a bater, o sangue tornaria a circular no relaxamento dos músculos. E eu acordaria e consolaria Marguerite. Raciocinando dessa maneira, exortava-me à paciência.

As horas passavam. A senhora Gabin trouxera o almoço. Marguerite recusava-se a comer qualquer coisa. A tarde passou. Pela janela aberta, subiam os ruídos da rue Dauphine. Por um leve tilintar do cobre do candelabro no mármore do criado-mudo, pareceu-me que haviam acabado de trocar a vela. Finalmente Simoneau voltou.

– E então? – perguntou-lhe a velha senhora à meia voz.

– Está tudo combinado – respondeu ele. – O féretro é para amanhã às onze horas... Não se preocupe com nada e não fale dessas coisas diante da pobre mulher.

A senhora Gabin assim mesmo adiantou-se:

– O médico ainda não apareceu para o atestado de óbito.

Simoneau foi sentar-se perto de Marguerite, confortou-a e calou-se. O féretro sairia no dia seguinte às onze horas: as palavras repercutiram em meu crânio como o ressoar de sinos fúnebres. E esse médico que não vinha, o médico do atestado de óbito, como o chamava a senhora Gabin! Ele veria com certeza de imediato que eu estava simplesmente em estado letárgico. Faria o necessário, saberia despertar-me. Aguardava-o com terrível impaciência.

Entrementes, o dia passou. Para não perder tempo, a senhora Gabin acabara trazendo seus abajures. Até, após ter pedido permissão a Marguerite, trouxe Dédé, porque, dizia, ela não gostava nada de deixar as crianças sozinhas por muito tempo.

– Vamos, entre – murmurou quando trouxe a menina –, e não se faça de boba, não olhe para o lado de lá, ou vai se ver comigo.

Ela proibia-lhe de me olhar, achava mais conveniente. É claro que Dédé dava umas olhadas de vez em quando, pois ouvia sua mãe dar-lhe uns tapas nos braços. Repetia-lhe com fúria:

– Trabalhe ou mando-a embora. E essa noite, o moço vai puxar seus pés.

Ambas, mãe e filha, haviam se instalado diante de nossa mesa. O ruído de suas tesouras recortando os abajures chegava distintamente até mim; muito delicados, exigiam decerto um recorte complicado, pois elas não trabalhavam muito depressa: eu contava cada abajur para combater minha angústia crescente.

E, no quarto, o único ruído era o das tesouras. Vencida pelo cansaço, Marguerite devia estar cochilando. Por duas vezes Simoneau levantou-se. A ideia abominável de que estava aproveitando o sono de Marguerite para roçar os lábios em seus cabelos torturava-me. Não conhecia aquele homem e sentia que amava minha mulher. Uma risada da pequena Dédé rematou minha irritação.

– Por que você está rindo, imbecil? – perguntou-lhe a mãe. – Vou bater em você. Vamos, responda, o que a faz rir?

A criança balbuciava. Ela não rira, tossira. Eu imaginava que ela devia ter visto Simoneau inclinar-se em direção a Marguerite e que achara aquilo engraçado.

A lâmpada estava acesa quando bateram à porta.

– Ah, o médico – disse a senhora Gabin.

Era de fato o médico. Nem mesmo se desculpou por estar vindo tão tarde. Com certeza tivera muito o que fazer o dia todo. Como a lâmpada iluminasse pouco o quarto, perguntou:

– O corpo está aqui?

– Está sim, senhor – respondeu Simoneau.

Marguerite levantara-se tremente. A senhora Gabin pusera Dédé no saguão porque uma criança não precisa assistir a cenas assim; e ela esforçava-se por arrastar minha mulher para a janela a fim de poupar-lhe tal espetáculo.

Entrementes, o médico acabara de se aproximar num passo rápido. Eu adivinhava-o cansado, apressado, impaciente. Tocara minha mão? Pousara a sua em meu coração? Não saberia dizer. Pareceu-me porém que simplesmente se inclinara, o ar indiferente.

– O senhor quer que eu pegue a lâmpada para iluminar melhor? – ofereceu Simoneau, prestativo.

– Não, não é preciso – disse o médico tranquilamente.

Como, não era preciso! Aquele homem tinha minha vida em suas mãos e achava inútil proceder a um exame atento. Eu não estava morto! Queria gritar que não estava morto!

– A que horas morreu? – perguntou.

– Às seis da manhã – respondeu Simoneau.

Uma revolta furiosa subia dentro de mim pelos laços terríveis que me amarravam. Oh, não poder falar, não poder mexer um único membro!

O médico acrescentou:

– Esse tempo pesado é ruim... Nada cansa mais do que esses primeiros dias de primavera.

E afastou-se. Era minha vida que ia embora. Gritos, lágrimas, injúrias sufocavam-me, dilaceravam minha garganta em convulsão, onde nem mais um sopro passava. Ah, miserável, transformado pelo hábito profissional em uma máquina e que vinha ao leito dos mortos com a ideia de simples formalidade a ser cumprida! Então aquele homem nada sabia! Então toda a sua ciência era mentirosa, pois não conseguia, num relance, distinguir a vida da morte! E estava indo embora, indo embora!

– Boa noite, senhor – disse Simoneau.

Houve um instante de silêncio. O médico devia estar se inclinando diante de Marguerite, que voltara, enquanto a senhora Gabin fechava a janela. Depois, ele saiu do quarto, ouvi seus passos descendo a escada.

Bem, acabara, eu estava condenado. Minha última esperança desaparecia com aquele homem. Se eu não despertasse antes do dia seguinte às onze horas, enterrariam-me vivo. E esse pensamento era tão apavorante que perdi consciência do que me cercava. Foi como um desmaio na própria morte. O último ruído que chamou minha atenção foi o ruído fraco das tesouras da senhora Gabin e de Dédé. O velório começava. Todos calaram-se. Marguerite recusara-se a dormir no quarto da vizinha. Ela estava ali, meio deitada no fundo da poltrona com seu belo rosto pálido, os olhos fechados, e seus cílios continuavam ensopados de lágrimas; enquanto, silencioso na escuridão, sentado diante dela, Simoneau a contemplava.

3

Impossível descrever minha agonia na manhã do dia seguinte. Aquilo permaneceu em mim como um pesadelo horrível no qual minhas sensações eram tão singulares, tão turvas, que me seria difícil mencioná-las com exatidão. O que tornava terrível minha tortura era eu continuar esperando um despertar brusco. E, à medida que a hora do féretro se aproximava, o terror me estrangulava ainda mais.

Foi apenas por volta da manhã que tornei a ter consciência das pessoas e das coisas que me cercavam. O rangido de um trinco arrancou-me da sonolência. A senhora Gabin abrira a janela. Deviam ser cerca de sete horas, pois eu ouvia gritos de comerciantes na rua, a voz aguda e frágil de uma garota que vendia morrião, outra voz rouca anunciando cenouras. A princípio aquele despertar ruidoso de Paris acalmou-me: parecia-me impossível que me enterrassem em meio a toda aquela vida. Uma lembrança acabou de me tranquilizar. Recordei-me ter visto um caso semelhante ao meu quando trabalhava no hospital de Guérande. Um homem dormira daquele modo durante 28 horas, seu sono era até tão profundo que os médicos hesitavam em fazer qualquer declaração; em seguida o homem sentara-se e conseguiu levantar-se de imediato. Já fazia 25 horas que eu estava dormindo. Se acordasse por volta das dez horas, ainda daria tempo.

Tratei de perceber quantas pessoas havia no quarto e o que estavam fazendo. A pequena Dédé devia estar brincando no saguão, pois, estando a porta aberta, veio um riso de criança de fora. Simoneau com certeza não estava mais ali: nenhum ruído revelava-me sua presença. Só os chinelos da senhora Gabin arrastavam-se pelo assoalho. Finalmente falaram.

– Minha querida – disse a velha –, você deveria tomá-lo enquanto está quente, ele iria confortá-la.

Ela dirigia-se a Marguerite; e o leve gotejar do filtro sobre a lareira informou-me que estava fazendo café.

– Não é por nada – continuou –, mas eu precisava disso... Na minha idade de nada serve ficar acordada. E a noite é triste quando aconteceu alguma desgraça numa casa... Tome o café, querida, só uma gotinha.

E forçou Marguerite a tomar uma xícara.

– Viu, está quente, reconforta. Você precisa de forças para chegar ao final do dia... Agora, se fosse boazinha, iria para o meu quarto e esperaria lá.

– Não, quero ficar – respondeu Marguerite, resoluta.

Sua voz, que eu não ouvia desde a véspera, tocou-me muito. Estava mudada, quebrada de dor. Ah, querida mulher! Eu a sentia perto de mim, como um último consolo. Sabia que ela não tirava os olhos de mim, que chorava por mim todas as lágrimas de seu coração.

Mas os minutos passavam. À porta, um ruído que de início não compreendi. Parecia alguém carregando um móvel que batia nas paredes da escada estreita demais. Aos poucos entendi ao ouvir novamente as lágrimas de Marguerite. Era o ataúde.

– Os senhores estão chegando cedo demais – disse a senhora Gabin parecendo mal-humorada. – Ponham isso atrás da cama.

Que horas eram então? Talvez nove horas. O esquife já estava no quarto. E eu o via na noite densa, novo em folha, suas tábuas recém-aplainadas. Meu Deus! Então estava tudo acabado? Iriam levar-me naquela caixa que sentia a meus pés?

Tive no entanto uma suprema alegria. Apesar de sua fraqueza, Marguerite quis dispensar-me os últimos cuidados. Foi ela que, auxiliada pela velha senhora, me vestiu com uma ternura de irmã e esposa. Eu sentia que estava mais uma vez em seus braços a cada peça de roupa que vestia em mim. Ela parou, sucumbindo sob a emoção; abraçava-me, banhava-me com o seu pranto. Queria poder retribuir seu abraço gritando-lhe "Estou vivo!" e permanecia impotente, devia abandonar-me como uma massa inerte.

– Você não devia estar fazendo isso, tudo isso vai se perder – repetia a senhora Gabin.

Marguerite respondia, a voz entrecortada:

– Deixe, quero pôr nele o que temos de mais bonito.

Compreendi que ela estava me vestindo com as roupas do dia do nosso casamento. Eu ainda tinha aqueles trajes que pensava usar em Paris apenas em ocasiões especiais. Depois ela tornou a cair na poltrona, esgotada pelo esforço que acabara de fazer.

Então, de repente, Simoneau falou. Decerto acabara de entrar.

– Eles estão lá em baixo – murmurou.

– Bem, não é tarde demais – respondeu a senhora Gabin, também baixando a voz. – Diga-lhes para subir, temos de acabar com isso.

– É que tenho medo do desespero dessa pobre mulher.

A velha pareceu refletir. Retomou:

– Escute, senhor Simoneau, o senhor vai levá-la à força para meu quarto... Não quero que ela fique aqui. É um favor que vai lhe fazer... Enquanto isso, num instante, tudo estará pronto.

Aquelas palavras atingiram-me o coração. E o que senti quando ouvi a luta pavorosa que aconteceu! Simoneau aproximara-se de Marguerite, suplicando-lhe que não permanecesse no quarto.

– Por piedade – implorava –, venha comigo, poupe a si mesma uma dor inútil.

– Não, não – repetia minha mulher –, vou ficar, quero ficar até o último minuto. Pensem que só tenho a ele no mundo e, quando ele não estiver mais aqui, estarei sozinha.

Entremementes, perto da cama, a senhora Gabin cochichava nos ouvidos do jovem.

– Ande, agarre-a, carregue-a no colo.

Simoneau iria pegar Marguerite e levá-la embora assim? De repente ela gritou. Com um impulso furioso, quis me levantar. Mas as molas de minha carne estavam quebradas. E permanecia tão rígido que nem mesmo conseguia levantar as pálpebras para ver o que estava acontecendo ali, à minha frente. A luta prolongava-se, minha mulher agarrava-se aos móveis repetindo:

– Oh, misericórdia, senhor... Solte-me, não quero.

Simoneau deve tê-la agarrado com seus braços vigorosos, pois agora ela só lançava lamentos de criança. Ele levou-a embora, os soluços perderam-se e eu imaginava vê-los, ele, alto e sólido, levando-a junto ao peito, ao pescoço, e ela, molhada de lágrimas, rebentada, abandonando-se, seguindo-o a partir daquele momento para qualquer lugar onde ele quisesse levá-la.

– Puxa, que dificuldade! – murmurou a senhora Gabin. – Vamos, rápido, agora que o chão está livre!

Na raiva ciumenta que me transtornava, considerava aquele roubo como um rapto abominável. Não via Marguerite desde a véspera, mas ainda a ouvia. Agora, tudo acabara; tinham-na tomado de mim; um homem a arrebatara antes mesmo que eu estivesse enterrado. E estava com ela por trás da divisória, sozinho a consolá-lo, talvez a beijá-la!

A porta abrira-se de novo, passos pesados caminhavam pelo cômodo.

– Depressa, depressa – repetia a senhora Gabin. – Essa mulherzinha não vai demorar a voltar.

Ela falava com pessoas desconhecidas que lhe respondiam apenas por grunhidos.

– Vocês compreendem, não sou parente, sou só uma vizinha. Nada tenho a ganhar com tudo isso. É por pura bondade de coração que estou tratando dos negócios deles. E não é muito divertido. Sim, sim, passei a noite. Embora não estivesse nada quente por volta das quatro horas da manhã. Bem, sempre fui boba, sou boa demais.

Naquele momento puxaram o caixão para o meio do quarto e compreendi. Eu estava condenado, pois o despertar não acontecia. Minhas ideias perdiam a nitidez, tudo rolava em mim como em uma nuvem de fumaça negra; e sentia tal lassidão que foi como que um alívio não contar com mais nada.

– Não pouparam madeira – disse a voz rouca de um papa-defuntos. – O caixão é comprido demais.

– Ótimo, ele ficará mais à vontade – acrescentou um outro, rindo.

Eu não era pesado, e eles ficaram satisfeitos com isso, pois tinham de descer três andares. Quando me pegavam pelos ombros e pelos pés, a senhora Gabin de repente se zangou.

– Que menina! – exclamou. – Ela tem de enfiar o nariz por toda a parte... Espere, vou ensiná-la a olhar pelas frestas...

Era Dédé que entreabrira a porta e passara a cabeça descabelada. Queria ver colocarem o moço na caixa. Ressoaram dois tapas vigorosos, seguidos de uma explosão de soluços. E, quando a mãe tornou a entrar, falou da filha com os homens que me arrumavam no caixão.

– Ela tem dez anos. É boazinha, mas tão curiosa... Não bato nela todos os dias, só que ela precisa me obedecer.

– Oh, a senhora sabe – disse um dos homens –, todas as garotas são assim. Sempre que há um morto, elas ficam rondando.

Eu estava comodamente deitado e poderia achar que ainda estava na cama não fosse por um incômodo no meu braço esquerdo, um pouco apertado por uma tábua. A julgar pelo que diziam, eu cabia muito bem dentro do caixão porque era miúdo.

– Esperem – exclamou a senhora Gabin –, prometi à mulher dele colocar um travesseiro sob a cabeça.

Mas os homens estavam com pressa, enfiaram o travesseiro machucando-me. Um deles procurava o martelo por todos os cantos soltando palavrões. Haviam esquecido a ferramenta embaixo, alguém precisava descer. Pousaram a tampa, e senti um abalo em todo o meu corpo quando duas marteladas enfiaram o primeiro prego. Acabou-se, eu vivera. Os pregos entraram um a um, rápido, enquanto o martelo ressoava com ritmo. Os operários pareciam embaladores fechando uma caixa de frutas secas com sua habilidade despreocupada. A partir de então, os ruídos só chegavam a mim abafados e prolongados, ressoando de maneira estranha, como se o esquife de pinho tivesse se transformado em uma grande caixa de ressonância. As últimas palavras que alcançaram meus ouvidos naquele quarto da rue Dauphine foi essa frase da senhora Gabin:

– Desçam devagar, e cuidado com a rampa do segundo andar, está quase desabando.

Levaram-me embora, e a minha sensação era estar balançando num mar cheio de ondas. Aliás, a partir daquele momento minhas lembranças são muito vagas. Recordo-me contudo de que a única preocupação que eu ainda tinha, preocupação imbecil e como que mecânica, era de estar atento ao caminho que estávamos tomando para ir ao cemitério. Não conhecia uma única rua de Paris, ignorava a localização exata dos grandes cemitérios cujo nome já tinham pronunciado à minha frente, e aquilo não evitava que eu concentrasse os últimos esforços de minha inteligência em adivinhar se estávamos virando à direita ou à esquerda. O carro fúnebre sacudia-me pelo pavimento das ruas. Ao meu redor, os veículos rodando, os transeuntes passando produziam um clamor confuso que a sonoridade do caixão desenvolvia. A princípio, segui o itinerário com bastante nitidez. Depois, houve uma parada, carregaram-me, e entendi que estávamos em uma igreja. Porém, quando o carro fúnebre abalou-se de novo, perdi qualquer noção dos lugares que atravessávamos. Um dobre de sinos avisou-me que estávamos passando perto de uma igreja; o rodar mais suave e contínuo fez-me achar que estávamos percorrendo um passeio. Eu sentia-me como um condenado levado ao local do suplício, embasbacado, esperando o golpe final que não chegava.

Pararam, tiraram-me do carro fúnebre. E tudo terminou bem depressa. Os ruídos haviam cessado, eu sentia que estava em um lugar deserto, sob as árvores, com o céu vasto sobre a cabeça. Decerto algumas pessoas acompanhavam o féretro, os locatários do hotel, Simoneau e outros, pois alguns sussurros chegavam até mim. Houve uma salmodia, um padre balbuciava em latim. Por uns dois minutos houve um ruído de pisadas. Depois, de repente, senti que estava mergulhando, enquanto cordas roçavam como arcos os cantos do caixão, o que provocava um som de contrabaixo rachado. Era o fim. Um choque terrível, como o ressoar de um tiro de canhão, eclodiu um pouco à esquerda de minha cabeça; um segundo choque ocorreu a meus pés; outro, ainda mais violento, caiu-me sobre o ventre, tão sonoro que achei que o caixão se partira em dois. E desmaiei.

4

Por quanto tempo fiquei assim? Não saberia dizer. No nada, uma eternidade e um segundo têm a mesma duração. Eu não era mais. Aos poucos, confusamente, voltou-me a consciência de ser. Continuava dormindo, mas comecei a sonhar. Um pesadelo destacou-se do fundo negro que barrava meu horizonte. E esse meu sonho era uma imaginação estranha que em outros tempos muitas vezes me atormentara de olhos abertos quando, com minha predisposição natural para invenções terríveis, saboreava o prazer atroz de criar catástrofes para mim.

Imaginei portanto que minha mulher estava me esperando em algum lugar em Guérande, acho, e que eu tomara o trem para ir juntar-me a ela. Quando o trem passou sob um túnel, de repente, um barulho pavoroso ribombou com um estrondo de trovão. Um desabamento duplo acabara de acontecer. Nosso trem não recebera uma única pedra, os vagões permaneciam intactos; só que nas duas extremidades do túnel, à nossa frente e atrás de nós, a abóboda desabara e encontrávamo-nos desse modo no centro de uma montanha, murados por blocos de rocha. Iniciava-se então uma agonia longa e pavorosa. Nenhuma esperança de socorro; seria preciso um mês para desobstruir o túnel; e ainda esse trabalho exigia infinitas precauções, máquinas poderosas. Éramos prisioneiros em uma espécie de adega sem saída. A morte de todos nós era apenas uma questão de horas.

Muitas vezes, repito, minha imaginação trabalhara com esse dado terrível. Eu variava o drama até o infinito. Meus atores eram homens, mulheres, crianças, mais de cem pessoas, toda uma multidão que me fornecia novos episódios incessantemente. Bem que havia algumas provisões no trem; mas logo a comida vinha a faltar e, sem chegar a se comer uns aos outros, os miseráveis famintos lutavam, ferozes, pelo último pedaço de pão. Empurravam um velho a socos, e ele agonizava; uma mãe combatia como uma loba para defender os três ou quatro bocados reservados a seu filho. Em meu vagão, dois recém-casados grunhiam nos braços um do outro, sem esperança, deixavam de se mexer. A via estava desobstruída, as pessoas desciam, rondavam em torno do trem como feras soltas em busca de uma presa. Todas as classes misturavam-se, um homem muito rico, um alto funcionário, diziam, chorava no ombro de um operário, tratando-o com familiaridade. Desde as primeiras horas, o combustível das lâmpadas esgotara-se, as luzes da locomotiva acabaram por se apagar. Quando se passava de um vagão para outro, tateava-se as rodas com a mão para não haver trombadas e assim chegava-se à locomotiva que se reconhecia pela sua biela fria, pelos seus enormes flancos adormecidos, força inútil, muda e imóvel na sombra. Nada era mais assustador do que esse trem, murado daquela forma por inteiro sob a terra, como um enterrado vivo, com seus viajantes que morriam um a um.

Eu me comprazia, descia ao horror dos mínimos detalhes. As trevas eram atravessadas por urros. De repente, um vizinho que não se sabia estar ali, que não se via, caía junto a seu ombro. Mas desta vez eu sofria mais de frio e de falta de ar. Nunca senti tanto frio. Um manto de neve caía-me sobre os ombros, uma umidade pesada chovia sobre meu crânio. E eu sufocava com isso, parecia que a abóboda de rocha desabava sobre meu peito, que toda a montanha pesava e me esmagava. Contudo ressoara um grito de libertação. Há muito tempo imaginávamos ouvir ao longe um ruído surdo e acarinhávamos a esperança de que estavam trabalhando perto de nós. No entanto, a salvação absolutamente não chegava dali. Um de nós acabara de descobrir um poço no túnel. E todos corríamos para ver esse poço de ar no alto do qual se via uma mancha azul do tamanho de um pão redondo. Ah, que alegria aquela mancha azul! Era o céu, crescíamos em sua direção para respirar, distinguíamos com clareza pontos negros que se agitavam, decerto operários instalando um guindaste para iniciar nosso salvamento. Um clamor furioso: "Salvos! Salvos!" saía de todas as bocas, enquanto os braços trementes se erguiam na direção da manchinha de um azul pálido.

A violência desse clamor despertou-me. Onde estava? Decerto ainda no túnel. Eu estava completamente deitado e sentia à direita e à esquerda as paredes duras que me apertavam os flancos. Quis erguer-me, mas bati o crânio com violência. A rocha envolvia-me por todos os lados. E a mancha azul desaparecera, o céu não estava mais ali, nem mesmo à distância. Continuava a sufocar, batia os dentes, presa de um arrepio.

De repente, lembrei-me. O horror eriçou meus cabelos e senti a pavorosa verdade fluir dentro de mim, dos pés à cabeça, como um gelo. Saíra finalmente daquela síncope que me atingira por longas horas com a rigidez de um cadáver? Sim, eu estava me mexendo, minhas mãos tocavam as tábuas do caixão. Restava-me fazer um último teste: abri a boca, falei, chamando Marguerite, instintivamente. Eu urrara, e minha voz naquela caixa de pinho adquirira um som rouco tão apavorante que eu mesmo me assustei. Meu Deus! Então era verdade? Podia andar, gritar que estava vivo, e minha voz não seria ouvida, eu estava encerrado, esmagado sob a terra!

Fiz um esforço supremo para me acalmar e refletir. Não haveria algum meio de sair dali? Meu sonho retornava, meu cérebro ainda não estava funcionando muito bem, misturava a imaginação do poço de ar e de sua mancha de céu com a realidade do fosso em que sufocava. Os olhos desmesuradamente abertos, contemplava as trevas. Talvez enxergasse um buraco, uma fenda, uma gota de luz! Mas só faíscas de fogo passavam na escuridão, claridades vermelhas alargavam-se e desapareciam. Nada, um abismo negro, insondável. Depois a lucidez voltava, eu afastava esse pesadelo imbecil. Precisava de todas as minhas faculdades mentais se quisesse tentar me salvar.

Em primeiro lugar, o grande perigo pareceu ser o sufocamento, que aumentava. Com certeza pudera permanecer por tanto tempo privado de ar graças à síncope que suspendera em mim as funções vitais; porém, agora que meu coração estava batendo, que meus pulmões precisavam de ar, eu morreria de asfixia se não saísse o mais rápido possível. Também sofria com o frio e temia deixar ser invadido por aquele torpor mortal dos homens que caem na neve para não mais se erguer.

Enquanto me repetia que precisava de calma, sentia lufadas de loucura subindo-me ao crânio. Então estimulava-me, tentando me lembrar o que sabia sobre o modo como as pessoas são enterradas. Decerto estava em uma vala de concessão por cinco anos; aquilo tirava-me uma esperança, pois observara em outros tempos em Nantes que as trincheiras da vala comum deixavam quase à superfície, em seu acúmulo contínuo, os pés dos últimos caixões inumados. Bastaria então quebrar uma tábua para escapar; enquanto que, se eu me encontrasse em um buraco completamente tapado, tinha sobre mim toda uma camada espessa de terra que seria um terrível obstáculo. Não ouvira dizer que em Paris se enterrava a seis palmos de profundidade? Como perfurar aquela massa enorme? Se eu chegasse a conseguir romper a tampa, a terra não entraria, não deslizaria como areia fina, não encheria meus olhos e minha boca? E ainda eu morreria de uma morte abominável, de um afogamento na lama.

Entrementes eu tateava com cuidado ao meu redor. O caixão era grande, era possível eu mexer os braços com facilidade. Na tampa não senti qualquer fenda. À direita e à esquerda, as tábuas estavam mal aplainadas, mas eram resistentes e sólidas. Deslizei o braço dobrado ao longo do peito para levá-lo até a cabeça. Ali, descobri na tábua da ponta um nó que cedia levemente à pressão; com a maior dificuldade, acabei por afastar o nó e, do outro lado, introduzindo o dedo, reconheci a terra, uma terra gordurosa, argilosa e molhada. Aquilo, porém, de nada adiantava. Cheguei a lamentar ter tirado aquele nó, como se a terra pudesse entrar. Uma outra experiência ocupou-me por um instante: dei pancadas em todo o caixão a fim de saber se por acaso não haveria algum vazio à direita ou à esquerda. O som foi o mesmo por toda parte. Como estivesse dando também pontapés leves, pareceu-me contudo que o som era mais claro na ponta. Talvez fosse apenas um efeito da sonoridade da madeira.

Então comecei a dar empurrões leves, os braços para a frente, com os punhos. A madeira resistiu. Em seguida usei os joelhos apoiando-me nos pés e na cintura. Nenhum estalo. Acabei usando toda a minha força, empurrava com o corpo inteiro com tanta violência que meus ossos machucados gritaram. E foi nesse momento que fiquei louco.

Até então eu resistira à vertigem, aos sopros de raiva que subiam de vez em quando em mim como uma fumaça de embriaguez. Eu reprimia principalmente os gritos, pois sabia que se gritasse estaria perdido. De repente comecei a gritar, a urrar. Era mais forte do que eu, os urros saíam de minha garganta que desinchava. Pedia socorro com uma voz que não conhecia em mim, ficando cada vez mais transtornado a cada apelo, gritando que não queria morrer. E arranhava a madeira com as unhas, contorcia-me em convulsões de lobo enjaulado. Quanto tempo durou a crise? Não sei, mas ainda sinto a dureza implacável do caixão em que me debatia, ainda ouço a tempestade de gritos e soluços com que enchia aquelas quatro tábuas. Num último clarão de razão, quis me conter e não consegui.

Seguiu-se um grande abatimento. Aguardava a morte em meio a uma pavorosa sonolência. Aquele caixão era de pedra; jamais conseguiria quebrá-lo. E aquela certeza de minha derrota deixava-me inerte, sem coragem para repetir os esforços. Outro sofrimento, a fome, acrescentara-se ao frio e à asfixia. Eu estava desmaiando. Logo o suplício tornou-se intolerável. Com o dedo tentei pegar montinhos de terra pelo nó que escavara e comi aquela terra, o que aumentou meu tormento. Mordia os braços, não ousando tirar sangue, tentado por minha carne, sugando a pele com vontade de nela enfiar os dentes.

Ah, como desejei a morte naquele momento! Durante toda a minha vida, tremera diante do nada; e eu o queria, o exigia, jamais seria tão negro. Que infantilidade temer aquele sono sem sonho, aquela eternidade de silêncio e trevas! A morte só era boa porque suprimia o ser de uma só vez, para sempre. Oh, dormir como as pedras, voltar à argila, deixar de ser!

Minhas mãos, tateando, continuavam maquinalmente a passear pela madeira. De repente piquei meu polegar esquerdo, e a dor leve arrancou-me do torpor. O que seria? Procurei de novo, reconheci um prego, um prego que os papa-defuntos haviam enfiado obliquamente e que não alcançara a borda do caixão. Era muito longo, muito pontudo. A sua cabeça estava presa na tampa, mas senti que se mexia. A partir daquele instante, fui tomado por uma única ideia: pegar aquele prego. Passei a mão direita sobre minha barriga, comecei a abalá-lo. Ele não cedia, daria um enorme trabalho. Muitas vezes mudava de mão, pois a mão esquerda, mal colocada, se cansava depressa. Enquanto eu insistia daquela forma, todo um plano desenvolvera-se na minha cabeça. Aquele prego tornara-se a salvação. Eu precisava dela de qualquer jeito. Mas será que ainda daria tempo? A fome me torturava, tive de parar, presa de uma vertigem que deixava minhas mãos moles, a mente vacilante. Sugara as gotas que escorriam da picada em meu polegar. Então mordi meu braço, bebi meu sangue, esporeado pela dor, reanimado por aquele vinho morno e acre que me molhava a boca. E, voltando ao prego com as duas mãos, consegui arrancá-lo.

Naquele momento, acreditei no sucesso. Meu plano era simples. Enfiei a ponta do prego na tampa e tracei uma linha reta, a mais longa possível, por onde passei o prego de modo a fazer um entalhe. Minhas mãos estavam enrijecendo, eu insistia com fúria. Quando achei ter feito incisões suficientes na madeira, tive a ideia de me virar, de deitar de bruços e, em seguida, erguendo-me nos joelhos e nos cotovelos, empurrar com a cintura. Porém, embora a tampa tivesse estalado, ainda não se quebrara. O entalhe não fora profundo o suficiente. Tive de voltar a deitar de costas e retomar a tarefa, o que me custou muito. Finalmente, fiz mais um esforço e, desta feita, a tampa rebentou de uma ponta a outra.

É verdade que eu ainda não estava salvo, mas a esperança inundou meu coração. Parara de empurrar, de me mexer, com medo de provocar algum desmoronamento que pudesse me enterrar. Meu plano era usar a tampa como escudo, ao mesmo tempo que tentaria escavar uma espécie de poço na argila. Infelizmente esse trabalho apresentava grandes dificuldades: torrões densos que se soltavam obstruíam as tábuas que eu não conseguia manobrar; jamais chegaria ao chão, alguns desmoronamentos parciais já me dobravam a espinha e enterravam meu rosto na terra. O medo voltava a tomar conta de mim quando, deitando-me para encontrar um ponto de apoio, acreditei estar sentindo que a tábua que fechava o caixão, nos pés, cedia sob a pressão. Então bati com vigor os calcanhares, calculando que poderia haver naquele lugar uma fossa que estariam escavando.

De repente meus pés se enfiaram no vazio. A previsão fora correta: ali havia uma fossa recém-aberta. Só tinha de atravessar uma fina divisória de terra para rolar para aquela fossa. Meu Deus! Estava salvo!

Por um instante fiquei de costas, os olhos voltados para cima, no fundo do buraco. Era noite. No céu, as estrelas brilhavam num azulado de veludo. De vez em quando, uma brisa que se erguia trazia-me a tepidez da primavera, o odor das árvores. Meu Deus! Estava salvo, respirava, estava aquecido, e chorava, e balbuciava, as mãos devotamente estendidas para o espaço. Oh, como era bom viver!

5

Meu primeiro pensamento foi ir até o abrigo do guarda do cemitério para que ele mandasse alguém me acompanhar até em casa. Mas algumas ideias, ainda vagas, detiveram-me. Eu assustaria todo o mundo. Para que me apressar, já que eu dominava a situação? Apalpei meus membros, só tinha uma leve mordida de meus próprios dentes no braço esquerdo; e a febrezinha que disso resultara excitava-me, proporcionava-me uma força inesperada. Com certeza conseguiria andar sem ajuda.

Então deixei de ter pressa. Todas as espécies de devaneios confusos atravessavam-me o cérebro. Sentira perto de mim na fossa as ferramentas dos coveiros e senti a necessidade de reparar o estrago que acabara de fazer, de tapar o buraco, para que não se conseguisse perceber minha ressurreição. Naquele momento, minhas ideias não eram claras; só achava inútil divulgar a aventura, sentindo vergonha de estar vivo quando o mundo inteiro achava que eu estivesse morto. Em meia hora de trabalho consegui apagar qualquer vestígio. E saltei para fora da fossa.

Que bela noite! Um silêncio profundo reinava no cemitério. As árvores escuras recortavam sombras imóveis no meio do branco dos túmulos. Enquanto tentava me orientar, observei que toda uma metade do céu queimava com um reflexo de incêndio. Paris era ali. Dirigi-me para aquele lado ao longo de uma avenida, na escuridão dos galhos. Porém, após uns cinquenta passos, tive de parar, já sem fôlego. E sentei-me em um banco de pedra. Só então examinei-me: eu estava completamente vestido, até calçado, só me faltava um chapéu. Como agradeci a minha querida Marguerite pelo sentimento piedoso que a levara a colocar em mim aquelas roupas! A lembrança brusca de Marguerite fez com que eu tornasse a me levantar. Queria vê-la.

No final da alameda, uma muralha me deteve. Subi em um túmulo e, quando fiquei pendurado no espigão, do outro lado do muro, deixei-me cair. A queda foi rude. Em seguida, caminhei por alguns minutos por uma grande rua deserta que contornava o cemitério. Ignorava por completo onde estava; repetia-me porém com a obstinação da ideia fixa que voltaria para Paris e saberia encontrar a rue Dauphine. Algumas pessoas passaram, nem mesmo lhes fiz perguntas, tomado pela desconfiança, não querendo confiar meu caso a ninguém. Hoje tenho consciência de que já estava com muita febre e de que delirava. Enfim, quando desemboquei numa grande avenida, senti um ofuscamento e caí pesadamente na calçada.

Aqui existe um vazio na minha vida. Fiquei três semanas inconsciente. Quando finalmente despertei, estava em um quarto desconhecido. Um homem estava cuidando de mim. Contou-me simplesmente que uma manhã me pegou no boulevard Montparnasse e me levou para sua casa. Quando eu agradecia, respondia-me com brusquidão que meu caso lhe parecera curioso e que ele quisera estudá-lo. Além disso, nos primeiros dias de minha convalescença, não me permitiu fazer-lhe nenhuma pergunta. Mais tarde ele tampouco me interrogou. Durante mais oito dias fiquei acamado, a cabeça fraca, nem mesmo tentando me lembrar, pois a lembrança cansa e dói. Sentia-me cheio de pudor e medo. Quando pudesse sair, veria. Talvez no delírio da febre tivesse deixado escapar um nome; mas jamais o médico aludiu ao que eu possa ter dito. Sua caridade permaneceu discreta.

Entrementes o verão chegara. Numa manhã de junho finalmente consegui autorização para passear um pouco. Era uma manhã maravilhosa, com um daqueles sóis alegres que proporcionam juventude às ruas da velha Paris. Caminhava lentamente, perguntando aos passantes em cada encruzilhada onde era a rue Dauphine. Cheguei a ela e tive dificuldade de reconhecer o hotel mobiliado onde nos hospedáramos. Um medo infantil agitava-me. Se me apresentasse bruscamente a Marguerite, temia matá-la. O melhor talvez fosse procurar antes aquela senhora idosa, a senhora Gabin, que morava lá. Mas desagradava-me colocar alguém entre nós. Nada me detinha. Bem no fundo de mim, havia como que um grande vazio, como que um sacrifício cumprido há muito tempo.

A casa estava toda amarela de sol. Reconheci-a por um restaurante sórdido do térreo que nos fornecia a alimentação. Ergui os olhos, contemplei a última janela do terceiro andar à esquerda. Ela estava completamente aberta. De repente, uma jovem descabelada, a camisola torta, ali se debruçou; atrás dela, um jovem que a perseguia estendeu a cabeça e beijou-a no pescoço. Não era Marguerite. Não fiquei nada surpreso. Parecia ter sonhado com aquilo e com mais algumas coisas que iria ficar sabendo.

Por um instante permaneci na rua indeciso, pensando em subir e fazer perguntas aos namorados que continuavam rindo ao sol. Depois decidi entrar no restaurantezinho do térreo. Devia estar irreconhecível: a barba crescera-me durante a febre cerebral, meu rosto encovara-se. No momento em que me sentava a uma mesa, vi justamente a senhora Gabin trazendo uma xícara para comprar dois soldos de café; ela plantou-se diante do balcão e começou com a senhora do estabelecimento os mexericos de todos os dias. Prestei atenção.

– E então – perguntou a senhora –, a pobre mocinha do terceiro acabou se decidindo?

– O que a senhora quer? – respondeu a senhora Gabin. – Era o que ela poderia fazer de melhor. O senhor Simoneau testemunhava-lhe tanta amizade... Foi bem-sucedido em seus negócios, uma grande herança, e sua proposta foi levá-la para sua terra e viver na casa de uma tia dele que precisava de uma pessoa de confiança.

A mulher do balcão deu uma risadinha. Eu enfiara o rosto no jornal, muito pálido, as mãos tremendo.

– Com certeza isso terminará com um casamento – continuou a senhora Gabin. – Mas juro-lhe pela minha honra que nada vi de excuso. A pobrezinha chorava o marido, e o rapaz comportava-se muito bem... Enfim, partiram ontem. Quando o luto dela terminar, não é? Farão o que quiserem.

Naquele momento, a porta que dava do restaurante para o corredor abriu-se por completo, e Dédé entrou.

– Mamãe, você não vai subir?... Estou esperando. Ande depressa.

– Daqui a pouco, como você amola! – disse a mãe.

A criança ficou ouvindo as duas mulheres com seu ar precoce de garota criada nas ruas de Paris.

– Nossa Senhora, afinal, o defunto não valia o senhor Simoneau – explicou a senhora Gabin. – Eu não o engolia, aquele magrelo. Sempre gemendo! E não tinha um centavo! Ah, não, verdade! Um marido como aquele é desagradável para uma mulher de sangue quente... Enquanto o senhor Simoneau, um homem rico, forte como um turco...

– Oh! – interrompeu Dédé. – Eu o vi, um dia em que estava se lavando. Ele é mesmo um homem de verdade!

– Vá embora de uma vez – gritou a velha empurrando-a. – Você sempre mete seu nariz onde não deve.

Em seguida, para concluir:

– Olhe, o outro fez bem em morrer. Que sorte!

Quando me vi de volta à rua, caminhava devagar, as pernas rebentadas. No entanto, não estava sofrendo demais. Cheguei a sorrir vendo minha sombra ao sol. De fato, era bem miúdo, fora uma ideia estranha casar-me com Marguerite. E lembrava-me de seu tédio em Guérande, de suas impaciências, de sua vida morna e cansada. A querida mulher mostrara-se bondosa. Mas eu nunca fora seu amante, ela acabara de chorar por um irmão. Por que atrapalharia de novo a sua vida? Um morto não tem ciúmes. Quando ergui a cabeça, vi que o jardim de Luxembourg estava à minha frente. Entrei e sentei-me ao sol, devaneando com grande suavidade. Pensar em Marguerite agora me enternecia. Eu a imaginava no interior, uma dama em uma cidadezinha, muito feliz, muito amada, muito festejada; tornava-se mais bela, tinha três meninos e duas meninas. Ora, eu fora um bom homem morrendo e com certeza não faria a besteira cruel de ressuscitar.

Desde então viajei muito, vivi um pouco por toda a parte. Sou um homem medíocre, que trabalhou e comeu como todo o mundo. A morte não me amedronta mais; mas ela parece não me querer, agora que não tenho qualquer razão para viver, e temo que ela me esqueça.

NANTAS

1

O quarto em que Nantas morava desde que chegara de Marselha ficava no último andar de uma casa da rue de Lille, ao lado da mansão do barão Danvilliers, membro do conselho de Estado. A casa pertencia ao barão, que mandara construí-la em antigas áreas de serviço. Debruçando-se, Nantas conseguia ver um pedaço do jardim da mansão no qual as árvores magníficas lançavam sua sombra. Além, por cima dos cimos verdes, abria-se uma perspectiva de Paris, divisava-se o corte do Sena, as Tulherias, o Louvre, a enfiada dos cais, todo um mar de tetos até as distâncias perdidas do cemitério Père-Lachaise.

Era um quarto estreito de mansarda, a janela talhada nas ardósias. Nantas mobiliara-o com simplicidade, com uma cama, uma mesa e uma cadeira. Acabara ali depois de procurar uma moradia barata, decidido a acampar enquanto não encontrasse alguma colocação. O papel sujo, o teto escuro, a miséria e a nudez daquele cômodo sem lareira não o incomodavam. Desde que adormecia diante do Louvre e das Tulherias, comparava-se a um general que se deita em um albergue miserável, à beira de uma estrada, diante da cidade rica e imensa que deve tomar de assalto no dia seguinte.

A história de Nantas era curta. Filho de um pedreiro de Marselha, começara a estudar no liceu da cidade estimulado pela ternura ambiciosa da mamãe, que sonhava transformá-lo em um senhor. Os pais esfalfaram-se para permitir que chegasse até os exames finais do segundo ciclo. Depois, quando sua mãe morreu, Nantas teve de aceitar um empreguinho junto a um negociante, onde arrastou por doze anos uma vida cuja monotonia o exasperava. Teria fugido vinte vezes se seu dever filial não o tivesse mantido preso em Marselha ao lado do pai, que caíra de um andaime e ficara paralisado. A partir daquele momento, teve de suprir todas as necessidades da pequena família. Porém, um dia, ao voltar para casa, encontrou o pedreiro morto, o cachimbo ainda quente ao seu lado. Três dias depois, vendera os poucos pertences do lar e partira para Paris com duzentos francos no bolso.

Nantas carregava uma ambição obstinada da fortuna que herdara da mãe. Era um rapaz que tomava decisões depressa, a vontade fria. Bem jovem, dizia ser uma força. Muitas vezes riram dele quando não parava de fazer confidências e de repetir sua frase favorita, "Sou uma força", frase que se tornava cômica quando se o via em seu fino redingote preto, rasgado nos ombros e cujas mangas lhe subiam acima dos punhos. Aos poucos, construíra dessa forma para si uma religião da força, só vendo a ela no mundo, convencido de que os fortes são de qualquer forma os vitoriosos. De acordo com ele, bastava querer e poder. O resto não tinha importância.

Aos domingos, quando passeava sozinho pelos subúrbios abrasadores de Marselha, sentia que tinha gênio; no fundo de seu ser havia como que um impulso instintivo que o lançava para frente; e ele voltava para comer um prato de batatas com o pai enfermo, dizendo-se que um dia conseguiria abrir seu caminho naquela sociedade onde ainda não era nada aos trinta anos. Não era absolutamente uma vontade baixa, um apetite de prazeres vulgares; era o sentimento bem nítido de uma inteligência e de uma vontade que, por não estarem em seu lugar, pretendiam subir com tranquilidade a esse lugar por uma necessidade natural de lógica.

A partir do momento em que tocou as calçadas de Paris, Nantas achou que lhe bastaria estender os braços para encontrar uma posição digna de sua pessoa. No mesmo dia em que chegou, começou a procurar uma colocação. Haviam lhe dado cartas de recomendação que entregou nos seus respectivos endereços; ademais, bateu à porta de alguns compatriotas, contando com o apoio deles. Porém, ao final de um mês, não obtivera qualquer resultado: diziam que o momento era ruim; outros faziam-lhe promessas que não cumpriam. Entrementes sua bolsa se esvaziava, restavam-lhe no máximo uns vinte francos. E foi com esses vinte francos que teve de viver mais um mês comendo só pão, percorrendo Paris de manhã à noite e voltando para dormir sem luz, alquebrado de cansaço, as mãos sempre vazias. Não se desencorajava; só que uma cólera surda começava a dominá-lo. O destino parecia-lhe ilógico e injusto.

Uma noite, Nantas voltou a seu quarto sem ter comido nada. Na véspera acabara com seu último pedaço de pão. Não tinha mais dinheiro e nenhum amigo para emprestar-lhe vinte soldos. A chuva caíra o dia todo, uma daquelas chuvas cinzentas tão frias de Paris. Um rio de lama corria pelas ruas. Molhado até os ossos, Nantas fora até Bercy, em seguida a Montmartre, onde lhe haviam dito que encontraria trabalho; mas em Bercy, o posto já estava ocupado, e não acharam sua letra bonita o suficiente em Montmartre. Eram suas duas últimas esperanças. Ele aceitaria qualquer coisa, pois tinha certeza de que abriria caminho para a fortuna na primeira colocação que encontrasse. A princípio só queria pão, com o que viver em Paris, um terreno qualquer para construir depois pedra sobre pedra. De Montmartre à rue de Lille, caminhou devagar, o coração cheio de amargura. A chuva cessara, uma multidão ocupada chocava-se com ele nas calçadas. Ele deteve-se vários minutos diante da loja de um cambista: talvez cinco francos lhe bastassem para ser um dia o senhor de toda aquela gente; com cinco francos é possível viver oito dias e em oito dias se fazem muitas coisas. Enquanto sonhava assim, um veículo o sujou, ele teve de limpar o rosto que um jato de lama fustigara. Então passou a andar mais depressa, os dentes cerrados, tomado por uma vontade de ferro de acabar aos socos com a multidão que barrava as ruas: aquilo vingaria a tolice do destino. Quase foi esmagado por um ônibus na rue Richelieu. No meio da place du Carrousel, olhou para as Tulherias com ciúme. Na ponte dos Saints-Pères, uma menininha bem vestida obrigou-o a desviar da linha reta que seguia com a rigidez de um javali acossado por uma matilha; e aquele desvio pareceu-lhe a suprema humilhação: até as crianças impediam-no de passar. Finalmente, refugiado em seu quarto, como um animal ferido que volta para morrer na toca, sentou-se com todo o seu peso na cadeira, extenuado, examinando a calça que a lama enrijecera e seus sapatos deformados que transformavam o assoalho em um lago.

Desta vez era mesmo o fim. Nantas perguntava-se como se mataria. Seu orgulho perdurava, achava que seu suicídio puniria Paris. Ser uma força, sentir em si uma potência e não encontrar uma pessoa que o adivinhasse, que lhe desse o primeiro escudo de que precisava! Aquilo parecia-lhe uma tolice monstruosa, todo o seu ser sublevava-se de raiva. Além disso, sentia uma imensa decepção quando seus olhares recaíam sobre seus braços inúteis. No entanto, nenhuma tarefa o amedrontava; com a ponta do dedinho, ergueria um mundo; e permanecia ali, rejeitado em seu canto, reduzido à impotência, devorando-se como um leão enjaulado. Mas logo se acalmava, achava a morte maior. Haviam lhe contado, quando era pequeno, a história de um inventor que, após construir uma máquina maravilhosa, um dia a quebrara a marteladas diante da indiferença da multidão. Muito bem! Ele era esse homem, carregava nele uma nova força, um mecanismo raro de inteligência e vontade, e ia destruir aquela máquina, despedaçando o crânio no pavimento da rua.

O sol escondia-se por trás das grandes árvores da mansão Danvilliers, um sol de outono cujos raios de ouro acendiam as folhas amareladas. Nantas levantou-se como que atraído por aquele adeus do astro. Ia morrer, precisava de luz. Por um instante debruçou-se à janela. Muitas vezes, entre as massas de folhagens, no desvio de uma alameda, percebera uma moça loura, muito alta, orgulho de princesa. Ele não era nada romanesco, passara da idade em que os rapazes sonham nas mansardas que senhoritas mundanas vêm trazer-lhes grandes paixões e grandes fortunas. Contudo aconteceu, naquela hora suprema do suicídio, de ele lembrar-se de repente da bela moça loura tão altiva. Qual seria o seu nome? Porém, no mesmo instante, cerrou os punhos, pois só sentia ódio das pessoas daquela mansão cujas janelas entreabertas revelavam cantos de luxo severo, e murmurou num impulso de raiva:

– Oh, eu me venderia, como eu me venderia se me dessem os primeiros cem soldos de minha fortuna futura!

A ideia de vender-se ocupou-o por um momento. Se houvesse em algum lugar uma casa de penhores onde se concedessem empréstimos aceitando como caução a vontade e a energia, teria recorrido a ela. Imaginava mercados, um político vinha comprá-lo para torná-lo um instrumento, um banqueiro levava-o para usar sua inteligência o tempo todo; e ele aceitava, desdenhando a honra, dizendo-se que bastaria ser forte e triunfar um dia. Depois sorriu. Será que encontramos onde nos vender? Os escroques, que espreitam as oportunidades, morrem na miséria sem jamais colocar a mão em um comprador. Temeu estar sendo covarde, disse a si mesmo que estava inventando distrações. E sentou-se de novo, jurando que se jogaria da janela assim que a noite caísse.

Entrementes, estava tão cansado que adormeceu na cadeira. De repente foi despertado por uma voz. Era a zeladora que introduzia uma senhora em seu quarto.

– Senhor – começou –, tomei a liberdade de mandá-la subir...

E, como percebesse que o quarto estava às escuras, desceu correndo para buscar uma vela. Ela parecia conhecer a pessoa que estava trazendo ao mesmo tempo com complacência e respeito.

– Pronto – prosseguiu, retirando-se. – Os senhores podem conversar, ninguém os incomodará.

Nantas, que despertara sobressaltado, olhava para a dama surpreso. Ela erguera seu veuzinho. Era uma mulher de 45 anos, baixinha, muito gorda, rosto de boneca branco de velha carola. Jamais a vira. Quando lhe ofereceu a única cadeira, interrogando-a com os olhos, ela disse seu nome:

– Senhorita Chuin... Venho, senhor, para lhe falar de um negócio importante.

Ele tivera de sentar-se à beira da cama. O nome senhorita Chuin nada lhe revelava. Decidiu esperar a mulher explicar-se. A dama, porém, não tinha pressa; examinava o cômodo apertado e parecia hesitar sobre como iniciar a conversa. Finalmente falou com uma voz muito suave, sustentando as frases delicadas com um sorriso.

– Senhor, estou vindo como amiga... Deram-me a seu respeito as informações mais tocantes. Por favor, não creia tratar-se de espionagem. Em tudo isso existe apenas o desejo de ser-lhe útil. Sei o quanto a vida foi difícil para o senhor até agora, com quanta coragem o senhor lutou para encontrar uma colocação e qual é hoje o resultado cruel de tantos esforços... Mais uma vez perdoe-me intrometer-me assim em sua existência. Juro-lhe que apenas a simpatia...

Nantas não a interrompia, tomado pela curiosidade, achando que sua zeladora devia ter fornecido todos aqueles detalhes. A senhorita Chuin poderia continuar e no entanto cada vez mais procurava cumprimentos, modos ternos de dizer as coisas.

– O senhor é um rapaz de muito futuro. Tomei a liberdade de acompanhar suas iniciativas e fiquei muito tocada por sua louvável firmeza na desventura. Enfim, parece que o senhor iria longe se alguém lhe estendesse a mão.

Parou de falar mais uma vez. Esperava alguma resposta. O rapaz achou que aquela dama estava lhe oferecendo alguma colocação. Retorquiu-lhe que aceitaria tudo. Ela, porém, agora que o gelo se quebrara, perguntou-lhe diretamente:

– O senhor sentiria alguma repulsa em se casar?

– Casar-me! – exclamou Nantas. – Ora, meu Deus, quem me quereria, senhora?... Alguma pobre moça que eu nem mesmo poderia alimentar.

– Não, uma moça muito bonita, muito rica, de ótima família, que colocaria de imediato em suas mãos os meios de alcançar a mais elevada posição.

Nantas parara de rir.

– Afinal, qual é o negócio? – perguntou, abaixando a voz instintivamente.

– Essa moça está grávida e é preciso reconhecer a criança – disse a senhorita Chuin com toda a clareza, esquecendo-se das fórmulas açucaradas para chegar mais rápido ao ponto.

O primeiro movimento de Nantas foi expulsar a casamenteira.

– A senhora está me propondo uma infâmia – murmurou.

— Oh, uma infâmia – exclamou a senhorita Chuin, tornando à sua voz melosa –, não aceito essa palavra tão feia... A verdade é que o senhor irá salvar uma família do desespero. O pai ignora o fato, a gravidez está no início; e fui eu quem teve a ideia de casar a pobre moça o mais rápido possível, apresentando o marido como o autor da criança. Conheço o pai, morreria de desgosto. Meu plano amortecerá o golpe, ele vai achar que se trata de uma reparação... A desgraça é que o verdadeiro sedutor é casado. Ah, senhor, há homens que de fato não têm moral...

Ela talvez tivesse continuado a falar por muito tempo. Nantas deixara de ouvi-la. Por que recusaria? Há pouco não pedira para se vender? Muito bem! Acabavam de comprá-lo. Dá cá, toma lá. Ele daria seu nome, dar-lhe-iam uma posição. Era um contrato como qualquer outro. Olhou sua calça suja da lama de Paris, sentiu que não comia desde a véspera, toda a raiva de seus dois meses de buscas e de humilhações voltou ao seu coração. Finalmente iria pisar naquele mundo que o rejeitava e o levava ao suicídio!

— Aceito – disse com crueza.

Depois exigiu explicações claras da senhorita Chuin. O que ela queria por sua missão? Ela ofendeu-se, não queria nada. No entanto, acabou pedindo vinte mil francos pelo aporte que se constituiria para o jovem. E como Nantas não regateasse, ela mostrou-se expansiva.

— Ouça, fui eu quem pensou no senhor. A jovem não disse não quando mencionei o seu nome... Oh, é um bom negócio, o senhor vai me agradecer um dia. Poderia encontrar um homem com títulos, conheço um que beijaria minhas mãos. Preferi porém escolher alguém de fora do mundo da pobre criança. Parecerá mais romanesco... Além disso, o senhor me agrada. É educado, tem a cabeça no lugar. Oh, o senhor vai longe. Não me esqueça, estou à sua inteira disposição.

Até então não fora pronunciado qualquer nome. A uma pergunta de Nantas, a solteirona levantou-se e disse, apresentando-se novamente:

– Senhorita Chuin... Moro na casa do barão Danvilliers onde sou governanta desde a morte da baronesa. Fui eu quem criou a senhorita Flavie, a filha do barão... A senhorita Flavie é a jovem em questão.

E retirou-se, após ter deixado discretamente sobre a mesa um envelope que continha uma nota de quinhentos francos. Era um adiantamento para as primeiras despesas. Quando ficou sozinho, Nantas foi debruçar-se à janela. A noite estava muito escura; só se distinguia a massa das árvores pelo adensamento da sombra; uma janela estava iluminada na fachada escura da mansão. Então era aquela moça alta e loura que caminhava com um porte de rainha e que nem se dignava a vê-lo. Ela ou outra, que importância afinal isso tinha! A mulher não entrava no negócio. Nantas ergueu os olhos para Paris rugindo nas trevas, para os cais, para as ruas, para os cruzamentos da margem esquerda iluminados pelas chamas dançantes do gás; e tratou Paris com familiaridade e superioridade:

– Agora você é minha!

2

O barão Danvilliers estava na sala que lhe servia de escritório, um cômodo severo de pé direito alto forrado de couro com móveis antigos. Desde a véspera, ficara como que fulminado com a história que a senhorita Chuin lhe contara sobre a desonra de Flavie. Embora ela tivesse levado os fatos ao passado, os tivesse suavizado, o ancião ficara chocado, e só o fato de que o sedutor poderia oferecer a reparação suprema ainda o mantinha de pé. Naquela manhã, aguardava a visita do homem que não conhecia e que lhe usurpava a filha. Tocou a campainha.

– Joseph, está para chegar um rapaz que você deve trazer até mim... Não estou para mais ninguém.

E devaneava com amargura à beira da lareira. O filho de um pedreiro, um morto de fome que não ocupava nenhum cargo confessável! A senhorita Chuin bem que acreditava que ele fosse um rapaz de futuro, mas quanta vergonha em uma família que até então não fora maculada! Flavie acusara-se com uma espécie de arrebatamento para poupar a menor censura à sua governanta. Desde aquela explicação penosa, não saiu mais do quarto, o barão recusava-se a vê-la. Antes de perdoar, queria resolver pessoalmente aquele caso abominável. Tomara todas as providências. Mas seus cabelos acabaram de ficar brancos, um tremor senil agitava-lhe a cabeça.

– O senhor Nantas – anunciou Joseph.

O barão não se levantou. Só virou a cabeça e fixou os olhos em Nantas, que entrava. Este tivera a inteligência de não ceder ao desejo de vestir roupas novas; comprara um redingote e calças pretas ainda limpas, mas bem usadas; aquilo proporcionava-lhe o aspecto de um estudante pobre e cuidadoso, que em nada se assemelhava a um aventureiro. Parou no meio do cômodo e esperou em pé, mas sem humildade.

– Então é o senhor – gaguejou o ancião.

Não conseguiu, contudo, prosseguir, a emoção estrangulava-o; temia ceder a alguma violência. Após um silêncio, disse simplesmente:

– O senhor cometeu uma má ação.

E, como Nantas fosse se desculpar, repetiu com mais ênfase:

– Uma má ação... Não quero saber de nada, peço-lhe que não procure me dar explicações. Mesmo que minha filha tivesse se lançado sobre o senhor, seu crime continuaria grave... Só os ladrões entram com tanta violência nas famílias.

Nantas baixara a cabeça de novo.

– Foi um dote ganho com facilidade, o senhor tinha a certeza de pegar a filha e o pai em uma armadilha...

– Permita-me, senhor – interrompeu o jovem, que começava a revoltar-se.

O gesto do barão, porém, foi terrível.

– O quê? O que o senhor quer que eu lhe permita?... Não cabe ao senhor falar aqui. Estou lhe dizendo o que devo dizer-lhe e o que o senhor deve ouvir, pois o senhor está vindo até mim como culpado... O senhor me ultrajou. Veja essa casa: nossa família nela viveu por mais de três séculos sem uma mácula; o senhor não está sentindo aqui uma honra secular, uma tradição de dignidade e respeito? Muito bem, senhor! O senhor fustigou tudo isso. Quase morri, e hoje minhas mãos estão tremendo, como se de repente tivesse envelhecido dez anos... Cale-se e escute-me.

Nantas ficou muito pálido. Aceitara um papel bem difícil. Contudo, quis usar a cegueira da paixão como pretexto.

– Perdi a cabeça – murmurou, tratando de inventar um romance. – Não pude ver a senhorita Flavie...

Ao nome de sua filha, o barão levantou-se e gritou, a voz tonitruante:

– Cale-se! Eu disse-lhe que não queria saber de nada. Não é da minha conta minha filha ter ido procurá-lo ou o senhor ter vindo até ela. Não lhe perguntei nada, não estou lhe perguntando nada. Guardem suas confissões para vocês, é uma sujeira na qual não entrarei.

Ele tornou a sentar-se, tremente, esgotado. Nantas inclinava-se, profundamente perturbado, apesar do domínio que tinha sobre si mesmo. Ao final de um momento de silêncio, o velho continuou, a voz seca de um homem que combina um negócio:

– Peço-lhe perdão, senhor. Prometi conservar meu sangue-frio. Não é o senhor que pertence a mim, sou eu que lhe pertenço, pois sou eu quem estou à sua mercê. O senhor está aqui para me oferecer uma transação que se tornou necessária. Sejamos transigentes, senhor.

E a partir daquele momento passou a falar como um advogado que resolve de maneira amigável um processo vergonhoso, onde só coloca as mãos com nojo. Disse com calma:

– A senhorita Flavie herdou quando da morte da mãe uma soma de duzentos mil francos que só caberia a ela no dia de seu casamento. Essa soma já rendeu juros. Aqui estão, aliás, minhas contas de tutor, que devo lhe prestar.

Ele abrira um documento, lera os números. Nantas tentou detê-lo em vão. Uma emoção acabara de apoderar-se dele diante do velho, tão direito e simples, que lhe parecia muito alto depois que se acalmara.

– Finalmente – concluiu o barão –, reconheço ao senhor no contrato que meu tabelião redigiu hoje de manhã uma renda de duzentos mil francos. Sei que o senhor não possui nada. O senhor deve tomar posse dos duzentos mil francos junto a meu banqueiro no dia seguinte ao casamento.

– Mas, senhor – disse Nantas –, não estou lhe pedindo dinheiro, só quero sua filha.

O barão interrompeu-o.

– O senhor não tem o direito de recusar, e minha filha não se casaria com um homem menos rico do que ela... Estou lhe dando o dote que era destinado a ela, só isso. Talvez o senhor contasse com mais, porém acham que sou mais rico do que sou de fato, senhor.

E, como o rapaz permanecesse mudo após essa última crueldade, o barão concluiu a entrevista chamando o criado.

– Joseph, diga à senhorita que a estou esperando imediatamente em meu gabinete.

Ele levantou-se, não pronunciou nem mais uma única palavra, andava devagar. Nantas permanecia de pé e imóvel. Estava enganando aquele velho, sentia-se pequeno e sem força diante dele. Finalmente Flavie entrou.

– Minha filha – disse o barão –, aqui está este homem. O casamento acontecerá no prazo legal.

E foi embora, deixou-os a sós, como se para ele o casamento já se houvesse consumado. Quando a porta tornou a fechar-se, reinou um momento de silêncio. Nantas e Flavie entreolhavam-se. Até então não se haviam visto. Ela pareceu-lhe muito bela com seu rosto pálido e altivo, os grandes olhos cinzentos que não baixavam. Talvez tivesse chorado nos três últimos dias em que não saíra do quarto; mas a frieza de suas faces devia ter congelado suas lágrimas. Foi ela quem falou primeiro.

– Então, senhor, o negócio foi concluído?

– Sim, senhora – foi a simples resposta de Nantas.

Ela fez um beicinho involuntário, envolveu-o num longo olhar que parecia nele procurar a baixeza.

– Bem, melhor assim – continuou. – Temia não encontrar ninguém para a transação.

Nantas sentiu na voz dela todo o desprezo com que ela o esmagava. Mas ergueu a cabeça. Se tremera diante do pai pois sabia que o estava enganando, pretendia ser firme e decidido diante da filha, que era sua cúmplice.

– Desculpe-me, senhora – disse com tranquilidade, muito polido –, acho que a senhora está julgando erroneamente a situação que nos envolve a ambos, naquilo que a senhora acaba de chamar de transação com muita correção. Entendo que a partir de hoje, estamos em pé de igualdade...

– Ah, de fato – interrompeu Flavie, um sorriso de desdém.

– Isso mesmo, em pé de completa igualdade... A senhora precisa de um nome para esconder um erro que não me permito julgar, e eu estou lhe dando o meu. Por minha vez, tenho necessidade de rendas, de uma certa posição social para realizar grandes empreendimentos, e a senhora está me proporcionando essas rendas. A partir de hoje somos dois sócios cujas contribuições se equilibram, só nos resta nos agradecermos um ao outro pelo favor que estamos nos prestando.

Ela deixara de sorrir. Um vinco de orgulho irritado riscava-lhe a testa. No entanto, ela não respondeu. Ao final de um momento de silêncio, continuou:

– O senhor está informado de minhas condições?

– Não, senhora – disse Nantas, que mantinha perfeita calma. – Queira mas ditar, submeto-me a elas de antemão.

Então ela exprimiu-se com clareza, sem qualquer hesitação ou rubor.

– O senhor será para sempre apenas meu marido de nome. Nossas vidas continuarão completamente distintas e separadas. O senhor deve abandonar qualquer direito sobre mim, e eu não terei qualquer dever para com o senhor.

A cada frase, Nantas aceitava com um sinal da cabeça. Era exatamente aquilo que desejava. Acrescentou:

– Se eu achasse que deveria ser galante, diria que condições tão duras me desesperam. Mas estamos acima de cumprimentos tão insípidos. Estou muito satisfeito em observar na senhora a coragem de nossas situações respectivas. Entramos na vida por uma trilha em que não se colhem flores... Só lhe peço uma coisa, senhora, é que não abuse da liberdade que lhe forneço a ponto de tornar minha intervenção necessária.

– Senhor! – disse Flavie com violência, o orgulho revoltado.

Mas ele inclinou-se com respeito, suplicando-lhe que não se magoasse. A posição de ambos era delicada, os dois deveriam tolerar certas alusões, sem o que o bom entendimento se tornaria impossível. Ele evitou insistir mais. A senhorita Chuin, numa segunda conversa, contara-lhe o erro de Flavie. Seu sedutor era um certo senhor des Fondettes, o marido de uma de suas amigas de convento. Como ela estivesse passando um mês na casa deles, no campo, uma tarde ela encontrara-se entre os braços daquele homem sem saber efetivamente como aquilo pudera acontecer e até que ponto consentira. A senhorita Chuin quase sugerira o estupro.

De repente, Nantas teve um movimento amigável. Como todas as pessoas que têm consciência de sua força, apreciava a bonomia.

– Veja só, senhora – exclamou –, não nos conhecemos, mas não teríamos de fato motivos para nos detestar assim à primeira vista. Talvez tenhamos sido feitos para nos entender... Estou vendo que a senhora me despreza; é porque ignora minha história.

E seu discurso foi febril, apaixonado, quando lhe contou sua vida devorada pela ambição em Marselha e explicou a raiva de seus dois meses de tentativas inúteis em Paris. Em seguida revelou seu desdém pelo que denominava as convenções sociais nas quais chafurdam os homens comuns. Qual a importância do juízo das multidões quando se pisava sobre elas!

Tratava-se de ser superior. A onipotência a tudo desculpava. E, em linhas gerais, descreveu a vida soberana que saberia construir para si. Não temia mais qualquer obstáculo, nada prevalecia contra a força, ele seria forte, feliz.

– Não acredite que eu seja simplesmente um interesseiro – acrescentou. – Não me vendo por sua fortuna. Só estou aceitando seu dinheiro como meio de subir muito... Oh, se a senhora soubesse tudo o que troa em mim, se soubesse das noites ardentes que passei sonhando sempre o mesmo sonho, o tempo todo carregado pela realidade do dia seguinte, a senhora me compreenderia, talvez ficasse orgulhosa de se apoiar em meu braço dizendo para si mesma que está me fornecendo finalmente os meios de ser alguém.

Ela escutava-o muito ereta, nenhum traço de seu rosto se movia. E ele fazia-se a pergunta que revirava há dias, sem conseguir encontrar a resposta: será que ela o notara à janela para ter aceito com tanta rapidez o plano da senhorita Chuin quando a governanta mencionara seu nome? Ocorreu-lhe o pensamento singular de que talvez ela começasse a amá-lo com um amor romanesco se ele recusasse indignado o negócio que a governanta fora lhe oferecer.

Calou-se, e Flavie permaneceu glacial. Em seguida, como se ele não lhe tivesse confessado nada, ela repetiu com secura:

– Muito bem, meu marido só de nome, nossas vidas completamente separadas, uma liberdade absoluta.

Nantas tornou de imediato a seu ar cerimonioso, o tom breve de um homem que discute um contrato.

– Combinado, senhora.

E retirou-se, insatisfeito consigo mesmo. Como pudera ceder à vontade tola de convencer aquela mulher? Ela era muito bela, era melhor não haver nada de comum entre eles, pois ela poderia atrapalhá-lo na vida.

3

Dez anos se passaram. Uma manhã, Nantas encontrava-se no gabinete em que o barão Danvilliers o recebera em outros tempos tão rudemente, quando de sua primeira conversa. Agora aquele gabinete era seu; após ter se reconciliado com a filha e o genro, o barão deixara-lhes a mansão, reservando para si apenas um pavilhão situado no outro canto do jardim, que dava para a rue de Beaune. Em dez anos, Nantas conquistara uma situação financeira e industrial das mais elevadas. Envolvido em todas as grandes empresas ferroviárias, enfronhado em todas as especulações de terrenos que assinalaram os primeiros anos do império, depressa acumulara imensa fortuna. Porém sua ambição não se detinha nisso, queria desempenhar um papel político e conseguira ser nomeado deputado em uma região onde tinha muitas fazendas. Assim que passou a participar do corpo legislativo, colocara-se como futuro ministro das finanças. Com os seus conhecimentos especiais e sua facilidade para falar, a cada dia assumia uma posição mais importante. De resto, demonstrava com habilidade uma dedicação absoluta ao império, ao mesmo tempo que tinha, em matéria de finanças, teorias pessoais que provocavam grande estardalhaço e que ele sabia preocuparem o imperador.

Naquela manhã, Nantas estava atolado de trabalho. Nos vastos escritórios que instalara no térreo da mansão, reinava uma atividade prodigiosa. Era um mundo de empregados, alguns imóveis atrás de balcões, outros indo e vindo sem parar, batendo as portas; o ruído de ouro era contínuo, de sacos abertos esvaziando-se sobre as mesas, a música sempre pesada de uma caixa cujo fluxo aparentemente inundaria as ruas. Ademais, na antecâmara acotovelava-se uma multidão, solicitadores, homens de negócios, políticos, Paris inteira de joelhos diante do poder. Muitas vezes grandes personagens ali esperavam com paciência uma hora inteira. E ele, sentado à escrivaninha, em contato com a província e o estrangeiro, realizava finalmente seu antigo sonho de força, sentia-se o motor inteligente de uma máquina colossal que movia reinos e impérios.

Nantas chamou o funcionário que guardava a sua porta. Parecia preocupado.

– Germain – perguntou –, você sabe se a senhora já voltou para casa?

E, como o funcionário respondesse que não sabia, ordenou-lhe que chamasse a camareira da senhora. Germain, porém, não saía.

– Desculpe, senhor – murmurou –, está aí o senhor presidente do corpo legislativo que está insistindo em entrar.

Então, Nantas mostrou-se mal-humorado, dizendo:

– Tudo bem! Que entre, mas vá fazer o que estou mandando.

Na véspera, a respeito de um problema capital do orçamento, um discurso de Nantas impressionara tanto que o artigo em discussão fora enviado à Comissão para ser emendado no sentido por ele indicado. Após a sessão, espalharam-se rumores de que o ministro das finanças ia se demitir e que já estavam designando nos grupos o jovem deputado como seu sucessor. Ele dera de ombros: nada fora decidido, só tivera com o imperador uma entrevista sobre pontos especiais. No entanto, a visita do presidente do corpo legislativo poderia ser muito significativa. Pareceu sacudir a preocupação que dele se apoderava, levantou-se e foi apertar as mãos do presidente.

– Ah, senhor duque – disse. – Peço-lhe que me desculpe. Não sabia que o senhor estava aqui... Acredite que muito me toca a honra de sua presença.

Por alguns momentos não pararam de trocar cumprimentos num tom de cordialidade. Depois, o presidente, sem entrar em detalhes, deu-lhe a entender que fora enviado pelo imperador para sondá-lo. Será que aceitaria a pasta das finanças e com que programa? Então Nantas, soberbo de sangue-frio, colocou suas condições. Porém, sob a impassibilidade de seu rosto, um bramido de triunfo subia. Finalmente chegava ao último degrau, alcançava o topo. Mais um passo e teria todas as cabeças abaixo dele. No momento em que o presidente concluía, dizendo que estava indo naquele mesmo instante falar com o imperador para comunicar-lhe o programa debatido, uma portinha que dava para a residência abriu-se, e a camareira da senhora apareceu.

Nantas de repente empalideceu, não terminou a frase que estava pronunciando. Correu para a mulher murmurando:

– Desculpe-me, senhor duque...

E, bem baixinho, fez-lhe perguntas. Então a senhora saíra cedo? Tinha dito onde ia? Quando voltaria? A camareira respondia com frases vagas, como uma moça inteligente que não quer se comprometer. Compreendendo a ingenuidade daquele interrogatório, Nantas acabou por simplesmente dizer:

– Assim que a senhora chegar, avise-a de que quero falar com ela.

Surpreso, o duque aproximara-se de uma janela e ficara olhando para o pátio. Nantas voltou a si, desculpando-se de novo. Mas perdera o sangue-frio, balbuciou, espantou-o com palavras pouco hábeis.

– Estraguei meu negócio – deixou escapar em voz alta quando o presidente saiu. – Essa pasta não vai mais ser minha.

E sentiu um mal-estar, interrompido por um acesso de raiva. Muitas pessoas foram falar com ele. Um engenheiro tinha de apresentar-lhe um relatório que anunciava lucros enormes na exploração de uma mina. Um diplomata falou de um empréstimo que uma potência vizinha queria fazer em Paris. Desfilaram muitas criaturas prestando-lhe contas de vinte negócios consideráveis. Finalmente recebeu grande número de colegas seus da câmara; todos prodigalizavam elogios exagerados ao seu discurso da véspera. Derrubado no fundo de sua poltrona, aceitava os louvores sem dar um único sorriso. O ruído do ouro continuava nos escritórios vizinhos, um trepidar de fábrica fazia as paredes tremerem como se todo aquele ouro que fazia barulho fosse produzido ali. Bastava-lhe pegar uma pena para enviar despachos que rejubilariam ou consternariam os mercados europeus; podia impedir ou precipitar uma guerra apoiando ou combatendo o empréstimo do qual haviam lhe falado; chegava a ter o orçamento da França nas mãos, logo saberia se seria a favor ou contra o império. Era o triunfo, sua personalidade desenvolvida desmesuradamente tornava-se o centro em torno do qual girava um mundo. E ele quase não saboreava aquele triunfo como se prometera. Sentia um cansaço, a mente longe, estremecia ao menor ruído. Quando uma chama, uma febre de ambição satisfeita lhe subia ao rosto, de imediato sentia-se empalidecendo, como se por trás, bruscamente, uma mão fria tocasse sua nuca.

Duas horas haviam se passado, e Flavie ainda não aparecera. Nantas chamou Germain para encarregá-lo de ir procurar o senhor Danvilliers, se o barão estivesse em casa. Só, caminhou por seu gabinente, recusando-se a receber mais gente naquele dia. Aos poucos sua agitação aumentara. Com certeza sua mulher fora a algum encontro. Ela devia ter se reconciliado com o senhor des Fondettes, viúvo há seis meses. É claro que Nantas se proibia o ciúmes; durante dez anos, observara rigidamente o acordo combinado; só que não pretendia ser ridicularizado. Jamais permitiria que a mulher comprometesse sua situação, tornando-o alvo de zombaria de todos. E sua força abandonava-o, aquele sentimento de marido que quer simplesmente ser respeitado invadia-o com tamanha perturbação que jamais sentira algo semelhante, mesmo quando se aventurara aos lances mais arriscados no início de sua fortuna.

Flavie entrou ainda com os trajes com que saíra; não tirara as luvas nem o chapéu. Nantas, cuja voz tremia, disse-lhe que teria subido até os aposentos dela se soubesse que ela já tinha voltado. Mas a jovem senhora, sem se sentar, com o ar apressado de uma cliente, fez um gesto para convidá-lo a se apressar.

– Senhora – começou –, entre nós tornaram-se necessárias certas explicações. Onde a senhora esteve esta manhã?

A voz tremente do marido, a brutalidade de sua pergunta muito a surpreenderam.

– Ora – respondeu ela num tom frio –, onde me agradou estar.

– Justamente é o que não vai mais me convir a partir de agora – continuou Nantas empalidecendo muito. – A senhora deve lembrar-se do que eu lhe disse, que não tolerarei que abuse da liberdade que lhe concedo a ponto de desonrar meu nome.

O sorriso de Flavie foi de um desdém soberano.

– Desonrar o seu nome, senhor, mas isso diz respeito ao senhor, é uma tarefa que já foi executada.

Então Nantas, num arrebatamento louco, avançou como se fosse estapeá-la, gaguejando:

– Infeliz, a senhora está saindo dos braços do senhor des Fondettes... A senhora tem um amante, eu sei.

– O senhor está enganado – disse ela, sem recuar diante de sua ameaça –, nunca mais vi o senhor des Fondettes... Mas, mesmo que eu tivesse um amante, o senhor não poderia me censurar. No que isso o atingiria? O senhor está esquecendo nossas convenções.

Por um instante, Nantas encarou-a, o olhar perdido; em seguida, abalado por soluços, colocando em seu grito uma paixão contida há muito tempo, caiu a seus pés.

– Oh, Flavie, eu a amo!

Ela, bem ereta, afastou-se, porque ele tocara a ponta de seu vestido. Mas o infeliz a seguia arrastando-se de joelhos, as mãos estendidas.

– Eu a amo, Flavie, amo-a como um louco... Aconteceu nem sei como. Há anos. E aos poucos a paixão tomou-me por inteiro. Ah, como lutei, achava essa paixão indigna de mim, lembrava-me de nossa primeira conversa... Mas agora estou sofrendo demais, devo confessá-la à senhora...

Continuou por muito tempo. Todas as suas crenças desabavam. Aquele homem que pusera a fé na força, que sustentava que a vontade é a única alavanca capaz de erguer o mundo, caía aniquilado, fraco como uma criança, desarmado diante de uma mulher. E, realizado seu sonho de fortuna, conquistada sua situação elevada, daria tudo para que aquela mulher o erguesse com um beijo na testa. Ela estragava seu triunfo. Ele deixara de ouvir o ouro que ressoava em seus escritórios, deixara de pensar no desfile de cortesãos que vinham cumprimentá-lo, esquecia que naquele momento o imperador talvez fosse chamá-lo ao poder. Essas coisas deixavam de existir. Ele tinha tudo e só queria Flavie. Se Flavie se recusasse, nada teria.

– Escute – continuou – o que fiz, fiz pela senhora... A princípio, é verdade, a senhora não contava, eu trabalhava para satisfazer meu orgulho. Depois a senhora tornou-se o único objetivo de todos os meus pensamentos, de todos os meus esforços. Eu me dizia que precisava subir ao máximo a fim de merecê-la. Esperava quebrantá-la no dia em que pusesse meu poder a seus pés. Veja onde estou hoje. Não conquistei seu perdão? Não me despreze mais, imploro!

Ela ainda não se pronunciara. Disse com tranquilidade:

– Levante-se, senhor, alguém pode entrar.

Ele recusou, fez-lhe mais súplicas. Talvez esperasse se não tivesse ciúmes do senhor des Fondettes. Este era um tormento que o transtornava. Depois, fez-se de muito humilde:

– Estou vendo que a senhora continua a me desprezar. Muito bem, espere, não dê seu amor a ninguém. Prometo-lhe coisas tão grandes que saberei muito bem dobrá-la. A senhora tem de me perdoar se fui brutal há pouco. Perdi a cabeça... Oh, deixe-me ter a esperança de que um dia a senhora vai me amar!

– Nunca! – ela pronunciou com energia.

E, como ele permanecesse no chão, esmagado, Flavie quis sair. Ele porém, sem conseguir pensar, presa de um acesso de fúria, levantou-se e pegou-a pelos punhos. Uma mulher enfrentá-lo assim, quando o mundo estava a seus pés! Ele podia tudo, provocar uma revolução nos Estados, conduzir a França como bem quisesse, e não conseguia obter o amor de sua mulher! Ele, tão forte, tão poderoso, ele cujos mínimos desejos eram ordens, ele só desejava uma coisa, e esse desejo jamais seria satisfeito, porque uma criatura, fraca como uma criança, o recusava! Ele apertava-lhe os braços, repetia, a voz rouca:

– Eu quero... eu quero...

– E eu não – dizia Flavie, toda branca e rígida em sua vontade.

A discussão continuava quando o barão Danvilliers abriu a porta. Ao vê-lo, Nantas soltou Flavie e exclamou:

— Senhor, a sua filha está voltando da casa de seu amante. Diga-lhe que uma mulher deve respeitar o nome do marido mesmo quando ela não o ama e o pensamento de sua própria honra não a detém.

Muito envelhecido, o barão permaneceu de pé à porta diante daquela cena de violência. Era uma surpresa dolorosa para ele. O ancião acreditava na união do casal, aprovava as relações cerimoniosas dos dois cônjuges, achando que aquilo era apenas uma distinção de conveniência. Seu genro e ele eram de duas gerações diferentes; porém, se ele era atingido pela atividade pouco escrupulosa do financista, se condenava certos empreendimentos que considerava imprudentes, tinha de reconhecer sua força de vontade e sua inteligência viva. E, de repente, caía naquele drama de que não suspeitava.

Quando Nantas acusou Flavie de ter um amante, o barão, que ainda tratava sua filha casada com a mesma severidade de dez anos antes, avançou com seus passos de velho solene.

— Eu juro-lhe que ela está saindo da casa do amante — repetia Nantas —, e o senhor está vendo que ela está me enfrentando!

Flavie virara a cabeça com desdém. Arrumava os punhos que a brutalidade do marido amassara. Nem um rubor subira-lhe às faces. Entrementes, seu pai falava com ela.

— Minha filha, por que não se defende? Seu marido estaria dizendo a verdade? Será que você reservou essa última dor à minha velhice? É uma afronta também a mim; pois, em uma família, o erro de um único membro basta para macular todos os outros.

Então a jovem teve um gesto de impaciência. Até seu pai perdia tempo acusando-a! Por mais um instante ela suportou o interrogatório, querendo poupá-lo da vergonha de uma explicação. Porém, como ele também estava se arrebatando por vê-la muda e provocante, acabou dizendo:

– Ah, meu pai, deixe esse homem desempenhar seu papel. O senhor não o conhece. Não me obrigue a falar, por respeito pelo senhor.

– Ele é seu marido – retomou o velho. – O pai de seu filho.

Flavie endireitara-se tremendo.

– Não, não é o pai de meu filho... Afinal, vou contar-lhe tudo. Esse homem nem mesmo é um sedutor, pois, se ele me amasse, pelo menos seria uma desculpa. Esse homem simplesmente vendeu-se e aceitou encobrir o erro de um outro.

O barão voltou-se para Nantas que, lívido, recuara.

– Ouça, meu pai – continuou Flavie com mais ênfase –, ele vendeu-se, vendeu-se por dinheiro... Jamais o amei, ele jamais me tocou, nem com a ponta dos dedos... Queria poupar-lhe uma grande dor, comprei-o a fim de que ele mentisse para o senhor... Olhe para ele, confirme que estou dizendo a verdade.

Nantas escondia o rosto com as mãos.

– E hoje – continuou a jovem mulher –, hoje ele quer que eu o ame... Ajoelhou-se e chorou. Com certeza mais um de seus truques. Perdoe-me por tê-lo enganado, meu pai; mas pertenço de fato a esse homem?... Agora que sabe de tudo, leve-me embora. Ele foi violento comigo há pouco, não ficarei aqui nem mais um minuto.

O barão empertigou-se. E, silencioso, foi dar o braço à filha. Ambos atravessaram o cômodo sem que Nantas fizesse um único gesto para detê-los. Em seguida, à porta, o velho só pronunciou:

– Adeus, senhor.

A porta tornara a se fechar. Nantas ficou só, esmagado, olhando transtornado o vazio ao seu redor. Como Germain acabara de entrar e depor uma carta sobre a escrivaninha, ele abriu-a maquinalmente e percorreu-a com os olhos. A carta, toda escrita à mão pelo imperador, chamava-o ao ministério das finanças em termos muito lisonjeiros. Ele mal a compreendeu. A realização de todas as suas ambições não o tocava mais. Nas caixas ao lado, o ruído do ouro aumentara; era a hora em que a casa Nantas roncava, impulsionando todo um mundo. E ele, no meio daquele labor colossal que era obra sua, no apogeu do poder, os olhos estupidamente fixados na carta do imperador, soltou esse lamento de criança, que era a negação de toda a sua vida:

– Não sou feliz... Não sou feliz...

Ele chorava, a cabeça caída na escrivaninha, e suas lágrimas quentes apagavam a carta que o nomeava ministro.

4

Nantas era ministro das finanças há um ano e meio, parecia estar se entorpecendo com um trabalho sobre-humano. No dia seguinte à cena de violência que ocorrera em seu gabinete, tivera uma conversa com o barão Danvilliers; e, a conselho de seu pai, Flavie aceitara voltar ao domicílio conjugal. Os esposos, porém, não dirigiam a palavra um ao outro a não ser quando tinham de desempenhar o papel de marido e mulher diante das pessoas. Nantas decidira não deixar sua mansão. À noite levava seus secretários para lá e cumpria seus deveres em casa.

Foi a época de sua vida em que realizou seus maiores feitos. Uma voz assoprava-lhe inspirações elevadas e fecundas. À sua passagem, erguia-se um murmúrio de simpatia e admiração. Ele, porém, permanecia insensível aos elogios. Parecia trabalhar sem esperança de recompensa, com a ideia de acumular suas obras, tendo como único intuito tentar o impossível. Toda vez que subia na carreira, consultava o rosto de Flavie. Será que finalmente a esposa fora tocada? Será que ela perdoara sua antiga infâmia para só ver o desenvolvimento de sua inteligência? E ele continuava não surpreendendo qualquer emoção no rosto mudo daquela mulher e dizia-se, tornando ao trabalho: "Vamos, não sou digno o suficiente dela, tenho de subir mais, sem parar". Ele pretendia forçar a felicidade, como forçara a fortuna. Toda a crença em sua força voltava-lhe, não admitia outra alavanca nesse mundo, pois é a vontade da vida que fez a humanidade. Quando às vezes se sentia desencorajado, fechava-se para que ninguém suspeitasse das fraquezas de sua carne. Só era possível adivinhar seus combates por seus olhos fundos, com olheiras escuras, onde ardia uma chama intensa.

Agora era o ciúme que o devorava. Não conseguir ser amado por Flavie era um suplício; mas a raiva o transtornava quando pensava que ela podia estar dando-se a um outro. Para afirmar sua liberdade, ela era capaz de se mostrar com o senhor des Fondettes. Ele fingia portanto pouco se preocupar com a mulher, enquanto agonizava de angústia mesmo quando ela saía por pouco tempo. Se não temesse o ridículo, seguiria sua mulher pessoalmente pelas ruas. Foi então que quis ter junto dela uma pessoa cuja dedicação compraria.

Haviam mantido a senhorita Chuin na casa. O barão estava acostumado à sua presença. Por outro lado, a governanta sabia demais para que pudessem se livrar dela. Por um tempo, a solteirona planejara aposentar-se com os vinte mil francos que Nantas lhe dera no dia seguinte ao seu casamento. Porém, decerto ela se dissera que a casa se tornara adequada para pescar em águas turvas. Esperava portanto outra oportunidade, pois fizera o cálculo de que precisava de mais cerca de vinte mil francos para comprar em sua terra, Roinville, a casa do tabelião, que tanto admirara quando era jovem.

Nantas não tinha por que se incomodar com a solteirona cujas caretas de devoção não conseguiam mais enganá-lo. No entanto, na manhã em que a chamou a seu gabinete e lhe propôs com clareza mantê-lo a par das menores ações de sua mulher, ela fingiu revoltar-se, perguntando-lhe por quem a tomava.

– Ora, senhorita – disse ele, impaciente –, estou com muita pressa, estão me esperando. Sejamos breves, por favor.

A senhorita Chuin porém não queria ouvir mais nada se ele não esclarecesse suas pretensões. Seus princípios eram de que as coisas não são feias por si mesmas, que elas se tornam feias ou deixam de ser de acordo com a forma com que são apresentadas.

– Muito bem – ele continuou –, trata-se, senhorita, de uma boa ação... Temo que minha mulher esteja me escondendo alguns pesares. Há algumas semanas observo nela uma tristeza e pensei na senhora para conseguir informações.

– O senhor pode contar comigo – disse então numa efusão maternal. – Sou devotada à senhora, farei tudo pela sua honra e pela do senhor... A partir de amanhã, zelaremos por ela.

Ele prometeu recompensá-la pelos serviços. A princípio a governanta zangou-se. Depois, foi hábil a ponto de obrigá-lo a fixar uma soma: ele dar-lhe-ia dez mil francos se ela lhe fornecesse uma prova formal do bom ou mau comportamento da senhora. Aos poucos, conseguiram precisar as coisas.

A partir daquele momento, Nantas atormentou-se menos. Três meses se passaram, ele estava envolvido em uma tarefa colossal, fizera modificações importantes no sistema financeiro. Sabia que seria muito atacado na Câmara e precisava preparar uma quantidade considerável de documentos. Passava muitas noites em claro. Quando via a senhorita Chuin, fazia-lhe perguntas curtas. Ela sabia de algo? A senhora visitara muita gente? Permanecera particularmente em alguma casa? A senhorita Chuin mantinha um diário detalhado. Mas só coletara até então fatos sem importância. Nantas ficava mais tranquilo, enquanto a solteirona às vezes piscava o olho repetindo que talvez logo tivesse novidades.

A verdade era que a senhorita Chuin refletira bastante. Dez mil francos não lhe bastavam, precisava de vinte mil para comprar a casa do tabelião. A princípio teve a ideia de se vender à mulher, depois de ter se vendido ao marido. Mas conhecia a senhora, temia ser expulsa à primeira frase. Há muito tempo, antes mesmo de ser encarregada da tarefa, ela a espionara por conta própria, dizendo-se que os vícios dos patrões são a fortuna dos criados; e deparara com uma daquelas honestidades tanto mais sólidas porque baseadas no orgulho. De seu erro, Flavie conservava um rancor de todos os homens. Por isso a senhorita Chuin já estava perdendo as esperanças quando um dia encontrou o senhor des Fondettes. Este fez-lhe tantas perguntas sobre sua patroa que a governanta compreendeu de repente que o antigo amante desejava Flavie com loucura, incendiado pela lembrança do minuto em que a tivera nos braços. E estabeleceu seu plano: servir ao mesmo tempo o marido e o amante, esta era a combinação genial.

Justamente tudo se encaixava. O senhor des Fondettes, rejeitado, a partir de então sem esperança, daria sua fortuna para possuir de novo aquela mulher que lhe pertencera. Foi ele quem primeiro sondou a senhorita Chuin. Tornou a marcar um encontro com ela, fingiu sentimentos jurando que se mataria se ela não o ajudasse. Ao final de oito dias, após muito desperdício de sensibilidade e de escrúpulos, o negócio foi concluído: daria dez mil francos, e ela, uma noite, iria escondê-lo no quarto de Flavie.

De manhã, a senhorita Chuin foi falar com Nantas.

– O que a senhora soube? – perguntou ele, empalidecendo.

Mas a governanta a princípio nada precisou. Com certeza a senhora estava se relacionando com alguém. Até tinha marcado um encontro.

– Aos fatos, aos fatos – repetia Nantas, furioso de impaciência.

Finalmente, ela mencionou o nome do senhor des Fondettes.

– Esta noite ele estará no quarto da senhora.

– Muito bem, obrigado – balbuciou Nantas.

Dispensou-a com um gesto, tinha medo de desfalecer diante dela. Aquela expulsão brusca a surpreendeu e encantou, ela esperara um longo interrogatório e até mesmo preparara suas respostas para não se atrapalhar. Fez uma reverência e foi embora, mostrando-se penalizada.

Nantas levantara-se. A partir do momento em que ficou sozinho, falou em voz alta:

– Esta noite... em seu quarto...

E levou as mãos à cabeça como se a tivesse ouvido estalar. Aquele encontro marcado no domicílio conjugal parecia-lhe monstruoso de impudicícia. Ele não podia deixar-se ultrajar daquele modo. Seus punhos de lutador fechavam-se, a fúria fazia-o sonhar com assassinato. No entanto, tinha de terminar um trabalho. Por três vezes tornou a sentar-se diante da escrivaninha e por três vezes a revolta de todo o seu corpo tornou a colocá-lo de pé; enquanto, atrás dele, algo o empurrava, uma necessidade de subir de imediato aos aposentos de sua mulher para chamá-la de prostituta. Finalmente, venceu a si mesmo e tornou ao trabalho, jurando que os estrangularia à noite. Foi a maior vitória que já obtivera sobre si mesmo.

À tarde, Nantas submeteu ao imperador o projeto definitivo do orçamento. Como este fizesse algumas objeções, ele as discutiu com perfeita lucidez. Mas precisou prometer-lhe modificar toda uma parte do plano. O projeto deveria estar concluído no dia seguinte.

– Senhor, passarei a noite modificando-o – prometeu.

E, ao voltar para casa, pensou: "Vou matá-los à meia-noite, depois terei até o raiar do dia para terminar a tarefa".

À noite, ao jantar, o barão Danvilliers mencionou precisamente o projeto do orçamento que tanto estardalhaço provocava. Ele não aprovava todas as ideias do genro em matéria de finanças. Mas achava-as muito abertas, muito notáveis. Enquanto respondia ao barão, por várias vezes acreditou surpreender os olhos da mulher fixos nos seus. Agora era frequente ela encará-lo daquele modo. Seu olhar não se enternecia, ela simplesmente o escutava e parecia tentar ler além de seu rosto. Nantas achou que ela temia ter sido traída. Por isso, fez um esforço para parecer nem estar pensando naquele problema: conversou muito, valorizou-se bastante, acabou por convencer o sogro, que cedeu diante de sua grande inteligência. Flavie continuava olhando para ele; e uma volúpia mal perceptível atravessou seu rosto por um instante.

Até a meia-noite, Nantas trabalhou em seu gabinete. Aos poucos envolvera-se, mais nada existia além daquela criação, daquele mecanismo financeiro que construíra lentamente, fragmento por fragmento através de um sem número de obstáculos. Quando o pêndulo deu meia-noite, levantou a cabeça instintivamente. Um grande silêncio reinava na mansão. De repente, lembrou-se, o adultério estava ali, no fundo daquela escuridão e daquele silêncio. Foi-lhe porém penoso abandonar a poltrona: lamentou ter de pousar a pena, dar alguns passos para obedecer a uma vontade antiga que não mais residia dentro dele. Depois, um calor enrubesceu-lhe o rosto, uma chama incendiou-lhe os olhos. E ele subiu aos aposentos da mulher.

Naquela noite, Flavie dispensara sua camareira cedo. Queria ficar sozinha. Até a meia-noite, permaneceu na saleta diante de seu dormitório. Deitada no sofá, pegara um livro; porém, a cada instante, o livro caía-lhe das mãos e ela sonhava, os olhos perdidos. Seu rosto suavizara-se mais, um sorriso pálido por ele passava de vez em quando.

Ela ergueu-se sobressaltada. Alguém batera à porta.

– Quem está aí?

– Abra – respondeu Nantas.

Ela ficou tão surpresa que abriu maquinalmente. Jamais seu marido apresentara-se daquela maneira em seus aposentos. Nantas entrou transtornado; voltara a sentir raiva enquanto subia. A senhorita Chuin, que o espreitava no patamar, acabara de cochichar-lhe no ouvido que o senhor des Fondettes estava lá há duas horas. Por isso entrara sem reservas.

– Senhora – disse ele –, há um homem escondido em seu quarto.

Flavie não respondeu de imediato, tanto o seu pensamento estava longe. Finalmente compreendeu.

– O senhor está louco – murmurou.

Mas, sem parar para discutir, ele já caminhava na direção do quarto. Então, de um salto, a jovem colocou-se diante da porta gritando:

– O senhor não vai entrar... Estou em meus aposentos e proíbo-lhe que entre!

Tremendo, parecendo ainda mais alta, guardava a porta. Por um instante, eles permaneceram imóveis, sem dizer uma palavra, olhos nos olhos. Ele, o pescoço estendido, as mãos à sua frente, ia jogar-se sobre ela para passar.

– Saia daí – murmurou, a voz rouca. – Sou mais forte do que a senhora, entrarei de qualquer jeito.

– Não, o senhor não vai entrar, não quero.

Como um louco, ele repetia:

– Há um homem, há um homem.

Não se dignando nem mesmo a desmenti-lo, ela dava de ombros. Depois, como ele desse um passo à frente:

– Muito bem! Suponhamos que haja um homem! No que isso lhe diz respeito? Não sou uma mulher livre?

Ele recuou diante da frase que o atingia como um tapa. De fato, Flavie era livre. Sentiu muito frio nos ombros, constatou com clareza que ela estava em posição de superioridade e que ele estava fazendo uma cena de criança doentia e sem lógica. Não estava observando o trato, sua paixão estúpida tornava-o odioso. Por que não permanecera trabalhado em seu gabinete? O sangue refluía de suas faces, uma sombra de sofrimento indizível empalideceu seu rosto. Quando Flavie percebeu como ele estava transtornado, afastou-se da porta, enquanto a doçura enternecia seus olhos.

– Veja o senhor mesmo – disse simplesmente.

E ela própria entrou no quarto, uma lâmpada na mão, enquanto Nantas permanecia no limiar. Com um gesto, ele dissera-lhe que era bobagem, que não queria ver. Mas agora era ela quem insistia. Ao chegar diante da cama, ergueu as cortinas, e o senhor des Fondettes apareceu escondido atrás delas. Flavie foi tomada por tamanho estupor que gritou, apavorada:

– É verdade – balbuciou, perdida –, é verdade, esse homem estava aí... Eu não sabia, juro pela minha vida, juro-lhe!

Em seguida, num esforço de vontade, acalmou-se, pareceu até lamentar aquele primeiro movimento que acabara de levá-la a se defender.

– O senhor tinha razão, peço-lhe perdão – disse a Nantas, tentando recuperar seu tom de voz frio.

Entrementes, o senhor des Fondettes sentia-se ridículo. Parecia um bobo, daria muito para que o marido se zangasse. Mas Nantas permanecia calado. Só ficara muito pálido. Quando tornou o olhar do senhor des Fondettes para Flavie, inclinou-se diante da última, pronunciando apenas essa frase:

– Senhora, desculpe-me, a senhora é livre.

E deu as costas, foi embora. Algo nele se quebrara; só o mecanismo dos músculos e dos ossos ainda funcionava. Quando voltou a seu gabinete, caminhou direto para a gaveta onde escondia um revólver. Após examinar a arma, disse em voz alta como que para se comprometer formalmente diante de si mesmo:

– Chega, acabou, vou me matar daqui a pouco.

Ergueu a lâmpada que baixara, sentou-se diante de sua escrivaninha e tornou calmamente à sua tarefa. Sem hesitação, no meio do grande silêncio, ele concluiu a frase que começara. Uma a uma, com método, as folhas empilhavam-se. Duas horas depois, quando Flavie, que expulsara o senhor des Fondettes, desceu descalça para ouvir à porta do gabinete, só escutou o barulhinho da pena estalando no papel. Então inclinou-se e olhou pelo buraco da fechadura. Nantas continuava escrevendo com a mesma calma, seu rosto exprimia a paz e a satisfação do trabalho enquanto um raio da lâmpada iluminava o punho do revólver ao seu lado.

5

A casa ao lado do jardim da mansão agora pertencia a Nantas, que a comprara do sogro. Por capricho, proibira que se alugasse a estreita mansarda onde durante dois meses se debatera contra a miséria quando de sua chegada a Paris. Desde que possuía uma grande fortuna, sentira por várias vezes a necessidade subir ao seu antigo quarto para ali se fechar durante algumas horas.

Lá sofrera, lá quisera triunfar. Quando aparecia um obstáculo, gostava de refletir naquele lugar e ali tomara as grandes decisões de sua vida. Ali voltava a ser o que fora em outros tempos. Por isso, diante da necessidade do suicídio, era naquela mansarda que resolvera morrer.

De manhã, Nantas só terminou seu trabalho às oito horas. Temendo adormecer de cansaço, lavou-se com muita água. Em seguida, chamou sucessivamente vários empregados para dar-lhes ordens. Quando seu secretário chegou, conversou com ele: o secretário deveria levar imediatamente o projeto de orçamento às Tulherias e fornecer algumas explicações, caso o imperador levantasse novas objeções. A partir daquele momento, Nantas considerou que já fizera o suficiente. Deixava tudo em ordem, não partiria como alguém que fora levado à demência pela bancarrota. Enfim pertencia a si mesmo, podia dispor de si mesmo sem que o acusassem de egoísmo e de covardia.

Soaram nove horas. Chegara a hora. Porém, quando ia sair do gabinete com o revólver, teve de engolir mais uma amargura. A senhorita Chuin apresentou-se para receber os dez mil francos prometidos. Ele pagou-a e teve de aguentar sua intimidade. Ela mostrou-se maternal, tratava-o um pouco como um aluno que passou de ano. Se ainda estivesse hesitante, aquela cumplicidade vergonhosa o decidiria ao suicídio. Subiu correndo e, na pressa, deixou a chave na porta.

Nada mudara no quarto. O papel de parede ainda tinha os mesmos rasgões, a cama, a mesa e a cadeira continuavam ali com seu cheiro de pobreza antiga. Por um momento respirou aquele ar que lhe lembrava as lutas de outrora. Em seguida aproximou-se da janela e contemplou a mesma perspectiva de Paris, as árvores da mansão, o Sena, os cais, todo um canto da margem direita em que a torrente das casas balançava, elevava-se, confundia-se até a distância do Père-Lachaise.

O revólver estava sobre a mesa manca, ao alcance de suas mãos. Agora ele deixara de ter pressa, tinha certeza de que ninguém viria e de que ele se mataria à vontade. Devaneava e dizia a si mesmo que se encontrava no mesmo ponto que em outros tempos, trazido de volta para o mesmo lugar, com a mesma vontade de suicídio. Um outro dia, naquele lugar, quisera rebentar a cabeça; então era pobre demais para comprar uma pistola, só dispunha do pavimento da rua, mas a morte era da mesma forma o fim. Assim, na existência, ele só tinha a morte que não enganava, que sempre se mostrava segura e pronta. A única coisa sólida que conhecia era ela, por mais que procurasse, tudo desabara o tempo todo a seus pés, apenas a morte permanecia uma certeza. E ele lamentou ter vivido dez anos a mais. A sua experiência de vida de alcançar a fortuna e o poder parecia-lhe pueril. Para quê esse desperdício de vontade, para quê tanta força produzida já que decididamente a vontade e a força não eram tudo? Uma paixão bastara para destruí-lo, ele metera-se tolamente a amar Flavie, e o monumento que construíra fendia-se, desabava como um castelo de cartas derrubado pelo sopro de uma criança. Era miserável, parecia com a punição de um estudante gazeteiro sob o qual se quebra um galho e que perece pelo seu pecado. A vida era tola, os homens superiores acabavam tão bobamente quanto os imbecis.

Nantas pegara o revólver sobre a mesa e o armava devagar. Uma última lástima amoleceu-o por um segundo naquele momento supremo. Quantas coisas realizaria se Flavie o compreendesse! No dia em que ela o abraçasse dizendo-lhe "Eu o amo", neste dia encontraria a alavanca para levantar o mundo. E seu último pensamento era um grande desprezo pela força, pois a força, que deveria dar-lhe tudo, não conseguira lhe dar Flavie.

Ergueu a arma. A manhã estava magnífica. Pela janela completamente aberta, entrava o sol que despertava a juventude da mansarda. Ao longe, Paris iniciava seu labor de cidade gigante. Nantas encostou o cano na têmpora.

A porta porém abriu-se com violência, e Flavie entrou. Com um gesto desviou o tiro, a bala indo alojar-se no teto. Os dois olharam-se. Ela estava tão sem fôlego, tão estrangulada que não conseguia falar. Finalmente, tratando pela primeira vez Nantas com familiaridade, pronunciou a frase que ele esperava, a única frase que poderia trazê-lo de volta à vida:

– Eu o amo! – gritou agarrada a seu pescoço, soluçando, arrancando essa confissão de seu orgulho, de todo o seu ser domado. – Amo-o porque você é forte.

A INUNDAÇÃO

1

Meu nome é Louis Roubieu. Tenho setenta anos e nasci na aldeia de Saint-Jory, a algumas léguas de Toulouse, a montante do Garonne. Durante quatorze anos lutei com a terra para comer seu pão. Afinal veio a abastança, e no mês passado eu ainda era o fazendeiro mais rico da comuna.

Nossa casa parecia abençoada. Nela brotava a felicidade; o sol era nosso irmão, e não me lembro de más colheitas. Éramos mais ou menos doze na fazenda nessa felicidade. Havia eu, ainda robusto, que levava as crianças para o trabalho; meu irmão caçula Pierre, um solteirão, ex-sargento; minha irmã Agathe, que viera morar conosco após a morte de seu marido, uma líder, enorme e alegre, cujas risadas eram ouvidas do outro lado da aldeia. Em seguida vinha toda a ninhada: meu filho Jacques, sua mulher Rose, e suas três filhas, Aimée, Véronique e Marie; a primeira casada com Cyprien Bouisson, um rapagão com o qual tinha dois filhos, um de dois anos, o outro de dez meses; a segunda, que acabara de ficar noiva, deveria casar-se com Gaspard Rabuteau; a terceira, finalmente, uma verdadeira donzela, tão branca, tão loura, que parecia ter nascido na cidade. Éramos dez, contando todos. Eu era avô e bisavô. Quando nos sentávamos à mesa, minha irmã Agathe ficava à minha direita, meu irmão Pierre, à esquerda; as crianças fechavam o círculo por ordem de idade, uma fileira em que as cabeças diminuíam até o bebê de dez meses, que já comia sua sopa como um homem. Como ouvíamos as colheres batendo nos pratos! A ninhada comia muito bem. E que alegria entre dois bocados! Sentia orgulho e alegria nas veias quando as crianças estendiam as mãos para mim gritando:

– Vovô, queremos pão!... Um pedaço grande, hein! Vovô!

Belos dias! Nossa fazenda na labuta cantava por todas as janelas. À noite, Pierre inventava brincadeiras, contava histórias de seu regimento. Tia Agathe fazia bolos para nossas meninas no domingo. Em seguida eram os cânticos que Marie sabia, cânticos que entoava com a voz de uma criança de coro; parecia uma santa, os cabelos louros caindo pelo pescoço, as mãos cruzadas no avental. Eu decidira construir mais um andar na casa quando Aimée se casou com Cyprien; e dizia rindo que seria necessário erguer mais outro depois do casamento de Véronique e Gaspard; de modo que a casa acabaria tocando no céu se continuássemos a cada casal novo que se formasse. Não queríamos nos deixar. Preferiríamos construir uma cidade atrás da fazenda, no nosso terreno. Quando as famílias se entendem, é tão bom viver e morrer onde se cresceu!

O mês de maio foi magnífico esse ano. Há muito tempo as colheitas não se anunciavam tão boas. Justamente naquele dia eu fizera uma passeio com meu filho Jacques. Saímos por volta das três horas. Nossos prados à beira do Garonne estendiam-se num verde ainda tenro; a relva tinha três pés de altura, e a plantação para produzir vime já revelava brotos de um metro. Fomos também visitar nosso trigal e nosso vinhedo, campos comprados um a um à medida que a fortuna aumentava: o trigal estava alto, as vinhas, floridas, prometendo uma vindima maravilhosa. E Jacques ria com sua risada gostosa, batendo em meu ombro.

– Veja, meu pai, não nos faltará mais pão nem vinho. O senhor conheceu o bom Deus para que agora ele faça chover dinheiro em suas terras?

Muitas vezes brincávamos entre nós com a miséria passada. Jacques tinha razão, eu devia ter conquistado a amizade de algum santo ou do próprio bom Deus lá em cima, pois toda a sorte da região parecia recair sobre nós. Quando geava, a geada parava bem à beira de nossos campos. Se as vinhas dos vizinhos apanhavam alguma doença, havia como que um muro de proteção em torno das nossas. E aquilo acabou por me parecer justo. Como eu nunca fizera mal a ninguém, achava que merecia aquela felicidade.

Quando voltamos, havíamos percorrido as terras que possuíamos do outro lado da aldeia. As amoreiras deram-se maravilhosamente bem ali. Havia também amendoeiras em plena produção. Conversávamos alegremente, estabelecíamos planos. Quando tivéssemos o dinheiro necessário, compraríamos alguns terrenos que ligariam nossas terras umas às outras e seríamos proprietários de todo um canto da comuna. Se cumprissem suas promessas, as colheitas do ano permitiriam que realizássemos esse sonho.

Quando nos aproximávamos da casa, Rose, de longe, dirigiu-nos grandes gestos gritando:

– Venham logo!

Era uma de nossas vacas que acabara de ter um bezerrinho. Todos estavam eufóricos. Tia Agathe rolava sua massa enorme. As meninas contemplavam o bichinho. E o nascimento daquele animal parecia uma bênção a mais. Há pouco tempo tivéramos de aumentar os estábulos onde havia quase cem cabeças de gado, vacas, principalmente carneiros, sem contar os cavalos.

– Que belo dia! – exclamei. – Hoje à noite beberemos uma garrafa de vinho licoroso.

Entrementes, Rose chamou-nos para um canto e anunciou-nos que Gaspard, o noivo de Véronique, chegara para marcar a data do casamento. Ela convidara-o para jantar. Gaspard, o filho mais velho de um fazendeiro de Moranges, era um rapaz alto de vinte anos, conhecido em toda a região por sua força prodigiosa; em uma festa em Toulouse, ele vencera Martial, o Leão do Sul. Além disso, ótimo moço, um coração de ouro, até tímido demais, e que corava quando Véronique o encarava tranquilamente.

Pedi que Rose o chamasse. Ele estava no fundo do pátio ajudando nossos criados a estenderem a roupa da faxina do trimestre. Depois de ele entrar na sala de jantar em que estávamos, Jacques voltou-se para mim e disse:

– Fale, meu pai.

– Então – comecei –, você está vindo, meu rapaz, para marcarmos a data do grande dia?

– Isso mesmo, pai Roubieu – respondeu ele, as faces muito vermelhas.

– Não precisa corar, meu filho – continuei. – Se você quiser, marcamos para o dia de Sainte-Félicité, 10 de julho. Estamos em 23 de junho, só mais vinte dias de espera. Minha pobre esposa falecida chamava-se Félicité, isso irá trazer-lhes felicidade... Então, combinado?

– Isso mesmo, o dia de Saint-Félicité, pai Roubieu.

E deu em mim e em Jacques um tapa na mão que derrubaria um boi. Em seguida beijou as faces de Rose, chamando-a de mãe. Aquele menino grande de punhos terríveis amava Véronique com toda a sua alma. Confessou-nos que teria ficado doente se a recusássemos.

– Então – perguntei –, você fica para o jantar, não é?... Vamos, todos para a mesa! Estou morrendo de fome!

Naquela noite fomos onze à mesa. Colocaram Gaspard perto de Véronique, e ele ficava contemplando-a, esquecia seu prato, estava tão comovido por sentir que ela lhe pertencia que por vezes grandes lágrimas lhe subiam aos olhos. Cyprien e Aimée, casados há apenas três anos, sorriam. Jacques e Rose, que já eram casados há vinte e cinco, permaneciam mais graves; e contudo, muito discretos, trocavam olhares, úmidos de sua velha ternura. Quanto a mim, acreditava reviver com esses dois namorados cuja felicidade trazia para nossa mesa um pedaço do paraíso. Que sopa boa comemos naquela noite! A tia Agathe, sempre sabendo fazer rir, arriscou algumas brincadeiras. E o bom Pierre quis contar seus amores com uma donzela de Lyon. Felizmente, já estávamos na sobremesa, e todos falavam ao mesmo tempo. Eu trouxera duas garrafas de vinho licoroso da adega. Brindamos à boa sorte de Gaspard e Véronique; na nossa casa boa sorte é nunca brigar, ter muitos filhos e montes de dinheiro. Em seguida cantamos, Gaspard conhecia algumas canções de amor no dialeto da região. Finalmente pedimos um cântico a Marie; ela levantou-se, tinha uma voz de flauta doce, muito fina, que fazia cócegas em nossos ouvidos.

Enquanto isso, eu fora até a janela. Como Gaspard se aproximasse de mim, eu lhe disse:

– Nada de novo em sua casa?

– Não – respondeu. – Só falam das grandes chuvas dos últimos dias, acham que podem provocar alguma desgraça.

De fato nos dias anteriores chovera sessenta horas sem parar. O Garonne estava muito cheio desde a véspera; mas tínhamos confiança nele; e, enquanto não transbordasse, não tínhamos porque acreditar que ele era um mau vizinho. Prestava-nos serviços tão bons! Seu lençol de água era tão largo e suave! Além disso, os camponeses não abandonam com facilidade sua toca, mesmo quando o teto está prestes a cair.

– Ah! – exclamei, dando de ombros. – Não vai acontecer nada. Todos os anos é a mesma coisa: o rio se faz de importante, como se estivesse furioso, e em uma noite se acalma, volta para sua casa, mais inocente que um cordeiro. Você vai ver, meu menino: vamos rir de novo desta vez... Olhe que tempo maravilhoso!

E, com a mão, mostrei-lhe o céu. Eram sete horas, o sol começava a se pôr. Ah, que azul! O céu era apenas azul, um lençol azul imenso, de uma profunda pureza, no qual o sol poente esvoaçava como uma poeira dourada. Lá do alto caía uma alegria lenta que conquistava todo o horizonte. Jamais vira a aldeia adormecer em uma paz tão suave. Sobre as telhas, desvanecia uma cor de rosa. Eu ouvia o riso de uma vizinha, em seguida vozes de crianças na curva da estrada diante de nossa casa. Adiante subiam, suavizados pela distância, os ruídos dos rebanhos voltando aos estábulos. A voz grossa do Garonne roncava, contínua; mas ela parecia-me a própria voz do silêncio, tanto eu estava acostumado ao seu troar. Aos poucos, o céu embranquecia, a aldeia adormecia mais um pouco. Era a noite de um belo dia, e eu pensava que toda a nossa felicidade, as boas colheitas, a família feliz, o noivado de Véronique, chovendo lá de cima, chegavam a nós na própria pureza da luz. Uma bênção alargava-se sobre nós com o adeus da noite.

Entrementes eu voltara para o meio da sala. Nossas meninas tagarelavam. Escutavamo-las sorrindo quando, de repente, na grande serenidade do campo, ressoou um grito terrível, um grito de angústia e de morte:

– O Garonne! O Garonne!

2

Corremos para o pátio.

Saint-Jory encontra-se no fundo de uma dobra de terreno num nível inferior ao do Garonne em mais ou menos quinhentos metros. Cortinas de álamos altos que cortam as pradarias escondem o rio por completo.

Não estávamos vendo nada. E o grito continuava ressoando:

– O Garonne! O Garonne!

De repente, da larga estrada diante de nós saíram dois homens e três mulheres; uma delas carregava uma criança nos braços. Eram eles que gritavam desesperados, galopando desenfreados pela terra dura. Às vezes se viravam, olhavam para trás, o rosto aterrorizado, como se estivessem sendo perseguidos por um bando de lobos.

– E então? O que está acontecendo com eles? – perguntou Cyprien. – O senhor está vendo alguma coisa, vovô?

– Não, não – eu disse. – As folhas nem estão se mexendo.

De fato a linha baixa do horizonte dormia na calma.

Mas eu ainda estava falando quando nos escapou uma exclamação. Atrás dos fugitivos, entre os troncos dos álamos, no meio de grandes tufos de relva, acabáramos de ver aparecer como que uma matilha de animais cinzentos com manchas amarelas correndo. Surgiam de todos os lados, ondas empurrando ondas, uma debandada de massas de água amontoando-se sem fim, sacudido babas brancas, abalando o chão com o galope surdo de sua multidão.

Por nossa vez soltamos o grito desesperado:

– O Garonne! O Garonne!

No caminho, os dois homens e as três mulheres continuavam a correr. Ouviam o grande galope alcançar o deles. Agora as ondas chegavam em uma só linha, rolando, quebrando-se com o trovejar de um batalhão de ataque. Em seu primeiro choque, atingiram três álamos, cuja folhagem alta despencou e desapareceu. Uma cabana de tábuas foi engolida; um muro caiu; as charretes desatreladas foram embora como pedaços de palha. As águas porém pareciam perseguir principalmente os fugitivos. No cotovelo da estrada, muito inclinado naquele lugar, caíram bruscamente em um lençol imenso e cortaram-lhes qualquer retirada. No entanto eles ainda corriam, enlameando a maré com suas passadas largas, não gritando mais, loucos de terror. As águas chegavam-lhes aos joelhos. Uma vaga enorme lançou-se sobre a mulher que carregava a criança. Tudo desapareceu.

– Depressa! Depressa! Para dentro de casa... Ela é sólida. Não temos nada a temer.

Por prudência, refugiamo-nos logo no segundo andar. As meninas subiram antes. Eu insistia em só subir por último. A casa era construída sobre um outeiro acima da estrada. A água invadia o pátio com suavidade fazendo um barulhinho. Não estávamos muito assustados.

– Ah! – dizia Jacques para tranquilizar a todos. – Não vai ser nada... O senhor lembra, meu pai, em 55, a água subiu assim no pátio. Até um pé de altura; depois foi embora.

– De qualquer forma é ruim para as colheitas – murmurou Cyprien a meia voz.

– Não, não, não vai ser nada – repeti, por minha vez, vendo os olhos de súplica de nossas meninas.

Aimée deitara seus dois filhos em sua cama. Ficou à cabeceira, sentada, em companhia de Véronique e de Marie. A tia Agathe falava de esquentar o vinho que ela trouxera para cima para dar coragem a todos. Jacques e Rose, na mesma janela, olhavam. Eu estava diante da outra janela com meu irmão, Cyprien e Gaspard.

– Subam de uma vez – gritei a nossas duas criadas que chafurdavam no meio do pátio. – Não fiquem aí molhando as pernas.

– E os animais? – perguntaram. – Estão com medo, estão se matando no estábulo.

– Não, não, subam... Daqui a pouco veremos.

Salvar o gado era impossível se o desastre aumentasse. Eu achava inútil assustar nosso pessoal. Então esforcei-me por demonstrar grande liberdade de espírito. Debruçado à janela, conversava, informava sobre os progressos da inundação. Depois de ter se lançado de assalto sobre a aldeia, o rio já dominara até as ruelas mais estreitas. Não se tratava mais de uma carga de ondas galopantes, mas de um sufocamento lento e invencível. O buraco no fundo do qual Saint-Jory foi construída transformava-se em lago. Em nosso pátio a água logo atingiu um metro. Eu a via subir; mas afirmava que ela parara, chegava até a fingir que estava baixando.

– Você será obrigado a dormir aqui, meu rapaz – disse, voltando-me para Gaspard. – A não ser que os caminhos estejam livres daqui a algumas horas... É bem possível.

Ele olhou-me, sem responder, o rosto bem pálido; e vi em seguida seu olhar fixar-se em Véronique com uma angústia inexprimível.

Eram oito e meia. Fora, ainda era dia, um dia branco, de uma tristeza profunda sob o céu pálido. As criadas, antes de subir, tiveram a boa ideia de ir pegar duas lâmpadas. Mandei que as acendessem, achando que sua luz alegraria um pouco o quarto já escuro onde todos nos tínhamos refugiado. A tia Agathe, que arrastara uma mesa para o meio do cômodo, queria organizar um jogo de cartas. Aquela mulher digna, cujos olhos às vezes procuravam os meus, pensava principalmente em distrair as crianças. Seu bom humor conservava uma valentia soberba; e ela ria para combater o pavor que sentia aumentar ao seu redor. Começou a partida. Tia Agathe obrigou Aimée, Véronique e Marie a se sentarem à mesa. Colocou-lhes as cartas nas mãos, jogou ela própria fingindo entusiasmo, embaralhando, cortando, distribuindo e falando de tal forma que quase abafava o ruído das águas. Mas não era fácil enganar nossas meninas; elas permaneciam todas pálidas, as mãos febris, os ouvidos em pé. A cada instante paravam de jogar. Uma delas se virava, perguntava-me a meia voz:

– Vovô, ainda está subindo?

A água subia numa velocidade apavorante. Eu brincava, respondia:

– Não, não, joguem tranquilamente. Não há perigo.

Meu coração nunca ficou tão apertado. Todos os homens haviam se postado diante das janelas para esconder o espetáculo aterrorizante. Tratávamos de sorrir virados para dentro do quarto, diante das lâmpadas calmas, cuja bola de luz recaía sobre a mesa, com a doçura do serão. Lembrava-me de nossas noitadas de inverno, quando nos reuníamos em torno daquela mesa. Era o mesmo aconchego adormecido, cheio de um calor bom e de afeição. E, enquanto a paz reinava ali, ouvia às costas o rugido do rio desenfreado, que continuava subindo.

— Louis — disse meu irmão Pierre —, a água está a três pés da janela. Vamos ter de revelar a verdade.

Eu fiz com que se calasse, apertando-lhe o braço. Mas não era mais possível esconder o perigo. Em nossos estábulos, os animais estavam se matando. De repente soaram balidos, mugidos de rebanhos transtornados; e os cavalos soltavam relinchos roucos que são ouvidos de tão longe quando estão em perigo de morte.

— Meu Deus! Meu Deus! — disse Aimée, que se ergueu, os punhos nas têmporas, abalada por um grande arrepio.

Todas haviam se levantado e não foi possível evitar que corressem às janelas. Ali ficaram, eretas, mudas, os cabelos arrepiados pelo vento do medo. O crepúsculo caíra. Uma claridade turva flutuava acima do lençol cheio de limo. Ao longe arrastavam-se as brumas. Tudo se confundia, era um fim de dia de medo apagando-se em uma noite de morte. E nem um ruído humano, apenas o ronco daquele mar ampliado ao infinito, nada além dos balidos e relinchos dos animais.

— Meu Deus! Meu Deus! — repetiam as mulheres a meia voz, como se temessem falar em voz alta.

Um estalo terrível cortou-lhes a palavra. Os animais furiosos acabavam de arrombar as portas dos estábulos. Passaram em torrentes amarelas, empelotadas, arrastadas pela corrente. Os carneiros eram levados como folhas mortas, em bandos, girando no meio dos redemoinhos. As vacas e os cavalos lutavam, caminhavam e depois perdiam o pé. Principalmente nosso grande cavalo cinzento não queria morrer; empinava, estendia o pescoço, resfolegava fazendo um ruído de forja; as águas obstinadas porém pegaram-no pela garupa e vimo-lo, derrotado, abandonar-se.

Então demos nossos primeiros gritos. Eles subiram-nos à garganta contra a nossa vontade. Precisávamos gritar. As mãos estendidas em direção a nossos queridos animais que se iam, nós os lamentávamos sem nos ouvir uns aos outros, jogando para fora o pranto e os soluços que havíamos retido até então. Ah, era a ruína! As colheitas perdidas, o gado afogado, a sorte mudara em algumas horas! Deus não era justo; nada fizéramos contra ele, e ele nos tomava tudo. Eu mostrava o punho ao horizonte. Falava de nosso passeio da tarde, daquelas pradarias, daqueles trigais, daqueles vinhedos que encontráramos cheios de promessas. Tudo aquilo então estava mentindo? A felicidade mentia. O sol estava mentindo pondo-se tão calmo e suave no meio da grande serenidade da tarde.

A água continuava a subir. Pierre, que a vigiava, gritou-me:

– Louis, temos de tomar cuidado, a água atingiu a janela.

Aquela advertência arrancou-nos da crise de desespero. Voltei a mim e disse, dando de ombros:

– O dinheiro nada significa. Enquanto estivermos todos aqui, nada teremos a lamentar. Estaremos prontos para voltar ao trabalho.

– É isso mesmo, o senhor tem razão, meu pai – retorquiu Jacques, febril. – E não corremos qualquer perigo. As paredes são sólidas... Vamos para o telhado.

Só nos restava aquele refúgio. A água, que subira cada degrau da escada, com um marulhar insistente, já entrava pela porta. Precipitamo-nos para o celeiro, muito colados pela necessidade que temos no perigo de nos sentirmos próximos dos outros. Cyprien desaparecera. Chamei-o e vi-o voltar dos cômodos vizinhos, o rosto transtornado. Então, como percebesse a ausência de nossas duas criadas e quisesse esperá-las, ele me olhou de maneira estranha e disse baixinho:

– Estão mortas. O canto da granja sob o quarto delas acaba de desabar.

É provável que as pobres moças tivessem ido buscar suas economias em suas arcas. Ele me contou, sempre a meia voz, que elas haviam usado uma escada jogada como ponte para alcançar a construção ao lado. Pedi-lhe que nada dissesse. Muito frio passara pela minha nuca. Era a morte que entrava na casa.

Quando, por nossa vez, subimos, nem mesmo pensamos em apagar as lâmpadas. As cartas permaneceram sobre a mesa. Já havia um pé de água no cômodo.

3

Felizmente o telhado era grande, e sua inclinação, suave. Subia-se até ele por uma lucarna acima da qual se encontrava uma espécie de plataforma. Foi ali que todo o nosso mundo se refugiou. As mulheres sentaram-se. Os homens iam e vinham sobre as telhas até as grandes chaminés que se erguiam dos dois lados da construção. Apoiado na lucarna por onde saíramos, eu interrogava os quatro cantos do horizonte.

– Não vão deixar de nos mandar socorro – dizia eu com coragem. – O pessoal de Saintin tem barcos. Vão passar por aqui... Vejam... ali! Não é uma lanterna na água?

Mas ninguém me respondia. Sem saber muito bem o que estava fazendo, Pierre acendera o cachimbo e fumava com tanta fúria que a cada tragada cuspia pedacinhos do sifão. Jacques e Cyprien perscrutavam a distância, o rosto inexpressivo, enquanto Gaspard, cerrando os punhos, continuava rondando o teto como se estivesse procurando uma saída. A nossos pés, as mulheres amontoadas, mudas, tiritando, escondiam o rosto para não ver mais. No entanto, Rose ergueu a cabeça e olhou em torno de si perguntando:

– E as criadas, onde estão? Por que não sobem?

Evitei responder. Ela dirigiu-se então a mim, os olhos fixos nos meus.

– Afinal, onde estão as criadas?

Desviei os olhos, não conseguia mentir. E senti aquele frio da morte que já me aflorara passar sobre nossas mulheres e nossas queridas meninas. Elas haviam compreendido. Marie levantou-se ereta, deu um enorme suspiro, depois caiu, presa de uma crise de choro. Aimée mantinha seus dois filhos apertados nas saias, escondia-os como que para defendê-los. Véronique, o rosto entre as mãos, deixara de se mexer. A própria tia Agathe, muito pálida, fazia grandes sinais da cruz, balbuciando padre-nossos e ave-marias.

Entrementes, ao nosso redor, o espetáculo adquiria uma grandeza soberana. A noite, que caíra por completo, conservava a limpidez de uma noite de verão. Era um céu sem lua, mas um céu crivado de estrelas, de um azul tão puro que enchia o espaço de uma luz azul. Parecia que o crepúsculo prosseguia, tanto o horizonte permanecia claro. E o lençol imenso aumentava ainda mais sob essa suavidade do céu, todo branco, como se tivesse claridade própria, de uma fosforescência que acendia pequenas chamas na crista de cada onda. Não se via mais a terra, a planície devia ter sido invadida. De vez em quando eu esquecia o perigo. Uma noite, perto de Marselha, eu vira o mar assim e permanecera diante dele boquiaberto de admiração.

– A água está subindo, a água está subindo – repetia meu irmão Pierre, que continuava quebrando entre os dentes o sifão do cachimbo que deixara se apagar.

A água estava a apenas um metro do telhado. Perdia sua tranquilidade de lençol adormecido. Formavam-se correntes. A uma certa altura, deixamos de estar protegidos pela inclinação do terreno. Então, em menos de uma hora, a água tornou-se ameaçadora, amarela, quebrando-se contra a casa, carregando destroços, tonéis abertos, pedaços de madeira, tufos de relva. Ao longe ouviam-se agora os choques retumbantes de assaltos contra os muros. Os álamos caíam com um estalo de morte, as casas desabavam como caçambas de pedregulhos jogadas à beira de alguma estrada.

Dilacerado pelos soluços das mulheres, Jacques repetia:

– Não podemos continuar aqui. Temos de tentar alguma coisa. Pai, suplico-lhe, vamos tentar alguma coisa.

Balbuciei, disse junto com ele:

– Isso, vamos tentar alguma coisa.

E não sabíamos o quê. Gaspard oferecia pôr Véronique nas costas e levá-la a nado. Pierre falava em jangada. Uma loucura. Cyprien finalmente disse:

– Se pelo menos pudéssemos alcançar a igreja.

Acima das águas, a igreja permanecia de pé com seu pequeno campanário quadrado. Estávamos a sete casas dela. Nossa fazenda, a primeira da aldeia, estava encostada numa edificação mais alta, que por sua vez se apoiava na edificação vizinha. Talvez pelos telhados conseguíssemos de fato alcançar o presbitério de onde seria fácil entrar na igreja. Muita gente já devia estar refugiada ali; pois os tetos vizinhos se achavam vazios e ouvíamos vozes que com certeza vinham do campanário. Mas quantos perigos para chegar até lá!

– Impossível – disse Pierre. – A casa dos Raimbeau é alta demais. Precisaríamos de escadas.

– De qualquer jeito vou ver – disse Cyprien. – Voltarei se for impraticável. Se não for, atravessaremos todos carregando as mulheres.

Deixei-o ir. Ele tinha razão. Tínhamos de tentar o impossível. Com um gancho de ferro fixado em uma chaminé, ele acabara de subir para a casa ao lado, quando sua mulher Aimée, erguendo a cabeça, viu que ele não estava mais ali. Gritou:

– Onde ele está? Não quero que ele me deixe. Estamos juntos, vamos morrer juntos.

Ao vê-lo no topo da casa vizinha, correu pelas telhas sem largar as crianças. E dizia:

– Cyprien, espere-me. Vou com você, quero morrer com você.

Insistiu. Ele, debruçado, fazia-lhe súplicas, afirmando-lhe que voltaria, que era para a salvação de todos. Mas, o ar perdido, ela balançava a cabeça, repetia:

– Vou com você. Vou com você. Qual o problema? Vou com você.

Ele teve de pegar as crianças. Depois, ajudá-la a subir. Conseguimos acompanhá-los do cimo da casa. Caminhavam devagar. Ela pegara no colo as crianças, que choravam, e a cada passo ele se voltava para ampará-la.

– Coloque-a em segurança, volte logo! – gritei.

Percebi que ele agitava a mão, mas o rugido das águas impediu que eu ouvisse sua resposta. Logo deixamos de enxergá-los. Haviam descido para uma outra casa, mais baixa que a primeira. Ao final de cinco minutos, reapareceram em uma terceira, cujo teto devia ser muito inclinado, pois se arrastavam de joelhos ao longo do cume. Um terror repentino apoderou-se de mim. Comecei a gritar, as mãos na boca, com toda a força:

– Voltem! Voltem!

E todos, Pierre, Jacques, Gaspard, gritavam-lhes também para voltar. Nossas vozes os detiveram por um instante. Mas depois continuaram a avançar. Agora se encontravam em um cotovelo formado pela rua diante da casa Raimbeau, uma construção alta cujo telhado superava o das casas vizinhas em pelo menos três metros. Por um momento hesitaram. Em seguida, Cyprien subiu pelo tubo da chaminé com uma agilidade de gato. Aimée, que tivera de aceitar esperá-lo, permanecia de pé no meio das telhas. Nós a enxergávamos com nitidez, apertando as crianças no peito, toda escura contra o céu claro, como se tivesse crescido. Foi então que começou a terrível desgraça.

A estrutura da casa dos Raimbeau, a princípio destinada a ser uma fábrica, não era nada sólida. Ademais, recebia a corrente da rua em plena fachada. Acreditei vê-la estremecer sob os ataques da água; e, a garganta apertada, acompanhava Cyprien, que atravessava o telhado. De repente, ouviu-se um estrondo. A lua erguia-se, uma lua redonda, livre no céu, cuja face amarela iluminava o lago imenso com um clarão vívido de lâmpada. Não perdemos um único detalhe da catástrofe. A casa dos Raimbeau acabara de desabar. Lançamos um grito de terror quando vimos Cyprien desaparecer. No desabamento distinguíamos apenas uma tempestade, um jorro de ondas sob os destroços do telhado. Em seguida voltou a calma, o lençol tornou a seu nível com o buraco da casa engolida, eriçando fora da água a carcaça de forros despedaçados. Havia ali um amontoado de vigas encavaladas, uma estrutura de catedral semidestruída. E, entre as vigas, acreditei ver um corpo se mexendo, algo vivo tentando esforços sobre-humanos.

– Ele está vivo! – gritei. – Ah, Deus seja louvado, ele está vivo!... Ali, acima daquele lençol branco que a lua está iluminando!

Um riso nervoso abalava-nos. Batíamos as mãos de alegria, como se nós mesmos estivéssemos salvos.

– Ele vai tornar a subir – dizia Pierre.

– Isso mesmo, olhem! – explicava Gaspard. – Ele está tentando agarrar a viga à esquerda.

Nossa risada porém cessou. Não trocamos mais nenhuma palavra, a garganta apertada de ansiedade. Acabáramos de compreender a terrível situação de

Cyprien. Com a queda da casa, seus pés haviam ficado presos entre duas vigas. E ele permanecia pendurado, sem conseguir se soltar, a cabeça para baixo, a alguns centímetros da água. Foi uma agonia horrorosa. No telhado da casa ao lado, Aimée continuava de pé com os dois filhos. Era sacudida por um tremor convulsivo. Assistia à morte do marido, os olhos fixos nele sob ela, a alguns metros dela. E soltava um uivo contínuo, um uivo de cão, louco de horror.

– Não podemos deixá-lo morrer assim – disse Jacques transtornado. – Temos de ir até lá.

– Talvez consigamos descer pelas vigas – observou Pierre. – Poderíamos soltá-lo.

E já se dirigiam para os telhados vizinhos quando a segunda casa, por sua vez, desabou. O caminho havia sido cortado. Então o frio nos congelou. Maquinalmente demo-nos as mãos; apertávamo-las a ponto de moê-las, sem conseguir desviar os olhos do horrível espetáculo.

A princípio, Cyprien tentou se endireitar. Com uma força extraordinária, afastou-se da água, manteve o corpo em uma posição oblíqua. O cansaço porém quebrantava-o. Contudo lutou, quis tornar a se enganchar nas vigas, lançou as mãos ao seu redor para ver se não encontrava nada em que se agarrar. Em seguida, aceitando a morte, tornou a cair, pendurou-se novamente, inerte. A morte demorou a vir. Seus cabelos mal mergulhavam na água, que subia com paciência. Ele devia sentir seu frescor no topo do crânio. Uma primeira onda molhou-lhe a testa. Outras fecharam-lhe os olhos. Vimos a cabeça desaparecer lentamente.

A nossos pés, as mulheres haviam enfiado o rosto entre suas mãos postas. Nós mesmos caíamos de joelhos, os braços estendidos, chorando, balbuciando súplicas. No telhado, Aimée, ainda de pé, com os filhos apertados contra si, uivava mais alto na noite.

4

Não sei quanto tempo permanecemos no estupor daquela crise. Quando voltei a mim, a água subira ainda mais. Agora atingia as telhas. O telhado não passava de uma ilha estreita que emergia do imenso lençol. As casas à esquerda e à direita deviam ter desabado. O mar estendia-se.

– Estamos andando – murmurava Rose, agarrada às telhas.

E todos tínhamos de fato uma sensação de balanço, como se o telhado, carregado, tivesse se transformado em jangada. A torrente enorme parecia nos transportar. Mas, quando olhávamos para o campanário da igreja, imóvel diante de nós, a vertigem cessava; encontrávamo-nos no mesmo lugar no meio das ondas.

Então a água iniciou seu ataque. Até então, a corrente seguira a rua; mas os escombros que a barravam agora faziam-na refluir. Foi um assalto de fato. Assim que um destroço ou uma viga passava ao alcance da corrente, ela o pegava, balançava e precipitava-o contra a casa como um aríete. E não o largava mais, recuava para lançar de novo a arma, batendo no muro com golpes mais fortes, com regularidade. Logo, dez, doze vigas atacaram-nos assim ao mesmo tempo por todos os lados. A água rugia. Cusparadas de espuma molhavam nossos pés. Ouvíamos o gemido surdo da casa cheia de água, sonora, suas divisórias já estalando. Às vezes, quando dos ataques mais severos, quando as vigas batiam na vertical, achávamos que era o fim, que as paredes estavam se abrindo e entregando-nos ao rio por suas brechas abertas.

Gaspard arriscara-se até a beira do telhado. Conseguiu apanhar uma viga, tirou-a da água com seus braços fortes de lutador.

– Temos de nos defender – exclamava.

Jacques, por sua vez, tentava deter uma longa vara que passava. Pierre ajudou-o. Eu amaldiçoava a idade que me deixava sem forças, tão fraco quanto uma criança. A defesa porém organizava-se, um duelo, três homens contra um rio. Mantendo sua viga fixa, Gaspard esperava os pedaços de madeira que a corrente transformara em aríetes; e detinha-os com rudeza a curta distância das paredes. Às vezes o choque era tão violento que ele caía. Ao seu lado, Jacques e Pierre manobravam a vara longa de maneira a também afastar os destroços. A luta inútil durou quase uma hora. Aos poucos foram perdendo a cabeça, começaram a soltar injúrias, a bater na água e a insultá-la. Gaspard dava-lhe golpes de sabre como se estivesse num corpo a corpo com ela, furava-a com a ponta de suas pretensas armas como se ela fosse um peito. E a água conservava sua obstinação tranquila, sem um único ferimento, invencível. Então Jacques e Pierre caíram no teto, extenuados, enquanto Gaspard, num último impulso, deixou sua viga ser arrancada pela corrente; esta por sua vez atacou-nos. O combate era impossível.

Marie e Véronique haviam se jogado nos braços uma da outra. Repetiam, a voz dilacerada, sempre a mesma frase, uma frase de pavor que ainda ouço o tempo todo em meus ouvidos:

– Não quero morrer!... Não quero morrer!

Rose abraçava-as. Tentava consolá-las, tranquilizá-las; e ela própria, tiritando, erguia o rosto e gritava involuntariamente:

– Não quero morrer!

Só tia Agathe nada dizia. Não mais rezava, nem fazia o sinal da cruz. Apatetada, olhava para todos os lados e ainda tentava sorrir quando encontrava meus olhos.

A água agora batia nas telhas. Não se podia esperar qualquer socorro. Continuávamos a ouvir vozes do lado da igreja; por um momento duas lanternas haviam passado ao longe; e o silêncio ampliava-se de novo, o lençol amarelo desdobrava sua imensidão nua. O pessoal de Saintin, que possuía barcos, devia ter sido surpreendido antes de nós.

Gaspard, no entanto, continuava a rondar pelo teto. De repente, chamou-nos. Dizia:

– Cuidado!... Ajudem-me, segurem-me firme.

Ele tornara a pegar uma vara, espreitava um destroço enorme, preto, cuja massa nadava com suavidade em direção à casa. Era um grande pedaço de telhado de granja, feito de tábuas sólidas, que as águas haviam arrancado inteiro e que flutuava como uma jangada. Quando aquele telhado chegou a seu alcance, ele deteve-o com sua vara; e, como sentisse que estava sendo arrastado, gritou para que o ajudássemos. Pegamos o jovem pela cintura, seguramos o rapaz com firmeza. Em seguida, a partir do momento em que o destroço entrou na corrente, ele próprio veio abordar nosso teto com tanta força que por um instante até tivemos medo de que se despedaçasse.

Gaspard saltara com ousadia sobre aquela jangada que o acaso nos enviava. Percorria a embarcação em todos os sentidos para se certificar de sua solidez, enquanto Pierre e Jacques a mantinham à beira do teto; e ele ria, dizia com alegria:

— Vovô, estamos salvos... Não chorem mais, mulheres! Um barco de verdade. Vejam, meus pés estão secos. E ele nos carregará a todos. Estaremos dentro dele como em casa.

No entanto, ele achou dever consolidá-lo. Pegou as vigas que flutuavam, amarrou-as com as cordas que Pierre trouxera para alguma eventualidade quando abandonou os quartos embaixo. Até caiu na água; mas, ao grito que nos escapou, respondeu com mais risadas. A água conhecia-o, ele fazia uma légua no Garonne a nado. Subindo de volta ao teto, sacudiu-se gritando:

— Vamos, embarquem, não percamos tempo.

As mulheres haviam se ajoelhado. Gaspard teve de carregar Véronique e Marie para o meio da jangada, onde as fez sentar-se. Rose e tia Agathe deslizaram sozinhas pelas telhas e foram se colocar junto das moças. Naquele momento eu estava olhando para o lado da igreja. Aimée continuava ali. Agora estava encostada em uma chaminé e mantinha as crianças no ar na extremidade de seus braços; a água já lhe chegava até a cintura.

— Não se aflija, vovô – disse-me Gaspard. – Vamos pegá-la quando passarmos, prometo-lhe.

Pierre e Jacques haviam subido na jangada. Eu também saltei nela. Ela estava um pouco inclinada de um lado, mas era realmente bastante sólida para carregar-nos a todos. Finalmente, Gaspard foi o último a abandonar o telhado, dizendo-nos para pegar as varas que ele preparara e que nos serviriam de remos. Ele próprio segurava um longuíssima que usava com grande habilidade. Deixávamos que ele nos comandasse. A uma ordem que nos deu, apoiamos todas as nossas varas nas telhas para nos afastar. Mas parecia que a jangada estava colada no teto. Apesar de todos os nossos esforços, não conseguíamos desgrudá-la. A cada tentativa, a corrente levava-nos de volta à casa com violência. Era uma manobra das mais perigosas, pois o choque a cada vez poderia arrebentar as tábuas sobre as quais estávamos.

Então de novo experimentamos o sentimento de nossa impotência. Achávamos que estávamos salvos e continuávamos a pertencer ao rio. Eu até lamentava que as mulheres não estivessem mais sobre o telhado, pois a cada minuto eu as via lançadas e arrastadas pela água furiosa. Porém, quando falei de tornar a nosso refúgio, todos gritaram:

– Não, vamos tentar. É melhor morrer aqui!

Gaspard parara de rir. Fizemos mais muitos esforços, pesando sobre as varas com energia redobrada. Finalmente Pierre teve a ideia de subir na inclinação das telhas e puxar-nos para a esquerda com uma corda; desse modo conseguiu levar-nos para fora da corrente; quando tornou a saltar sobre a jangada, algumas remadas permitiram-nos alcançar o largo. Porém Gaspard lembrou-se da promessa que me fizera de ir recolher nossa pobre Aimée, cujo uivo de lamento não cessava. Para isso era preciso atravessar a rua onde reinava a corrente terrível contra a qual acabáramos de lutar. Consultou-me com o olhar. Eu estava transtornado, jamais tivera de me entregar a um combate assim. Íamos expor oito existências. E contudo, se hesitei por um momento, não tive força de resistir ao chamado lúgubre.

– Sim, sim – disse a Gaspard. – É impossível, não podemos ir embora sem ela.

Ele baixou a cabeça sem uma palavra e começou a usar todas as paredes que haviam permanecido de pé como apoio para sua vara. Navegamos ao longo da casa vizinha, passamos por cima de nossos estábulos. No entanto, assim que desembocamos na rua, escapou-nos um grito. A corrente que tornava a nos pegar, arrastando-nos de novo, levava-nos de volta à nossa casa. Foi uma vertigem de alguns segundos. Balançamos como uma folha, com tanta rapidez que nosso grito se concluiu no choque apavorante da jangada com as telhas. A jangada partiu-se, as tábuas despregadas rodaram em turbilhão, todos fomos jogados para fora da embarcação. Não sei o que aconteceu então. Lembro-me de que, enquanto caía, vi tia Agathe de bruços na água, sustentada por suas saias; e ela submergia, a cabeça para trás, sem se debater.

Uma dor viva fez-me abrir os olhos. Era Pierre que me puxava pelos cabelos ao longo das telhas. Fiquei deitado, estúpido, olhando. Pierre tornara a mergulhar. E, no torpor em que me encontrava, surpreendi-me por ver de repente Gaspard no lugar em que meu irmão desaparecera; o jovem carregava Véronique nos braços. Assim que a depôs ao meu lado, mergulhou de novo, tirou Marie, a face de uma brancura de cera, tão rija e imóvel, que achei que estivesse morta. Depois tornou a se jogar. Porém, dessa feita, suas buscas foram inúteis. Pierre juntara-se a ele. Ambos falavam-se, davam-se indicações que eu não ouvia. Quando tornaram a subir no teto, esgotados:

– E tia Agathe! – gritei. – E Jacques! E Rose!

Eles abanaram a cabeça. Grandes lágrimas rolavam de seus olhos. Pelas poucas palavras que me disseram, compreendi que a cabeça de Jacques fora quebrada por um choque com uma viga. Rose agarrara-se ao cadáver do marido que a levara embora. Tia Agathe não voltara à superfície. Achamos que seu corpo arrastado pela corrente havia entrado na casa sob nós por uma janela aberta.

Erguendo-me, olhei para o teto a que Aimée estava agarrada alguns minutos antes. A água continuava subindo. Aimée parara de gritar. Vi apenas seus dois braços rígidos que ela erguia para manter seus filhos fora da água. Depois tudo ruiu, o lençol fechou-se sob o clarão adormecido da lua.

5

Agora éramos apenas cinco no telhado. A água mal nos deixava uma faixa estreita livre ao longo da cumeeira. Uma das chaminés acabara de ser arrastada. Foi preciso erguer Véronique e Marie desamaiadas, mantê-las quase de pé para que a torrente não lhes molhasse as pernas.

Finalmente as moças voltaram a si, e nossa angústia aumentou ao vê-las ensopadas, tremendo, gritar de novo que não queriam morrer. Tentávamos acalmá-las como se acalmam as crianças, dizendo-lhes que não morreriam, que conseguiríamos evitar que a morte as levasse. Elas porém não acreditavam mais em nós, sabiam que iam morrer. E toda vez que a palavra "morrer" caía como um dobre, seus dentes batiam, uma angústia lançava-as uma no pescoço da outra.

Era o fim. A aldeia destruída desaparecera ao nosso redor, exceto por alguns fragmentos das muralhas. Apenas o campanário da igreja erguia-se intacto; dali continuavam a vir vozes, um murmúrio de pessoas abrigadas. A distância roncava o fluxo enorme das águas. Nem mesmo ouvíamos mais as casas desmoronarem como charretes de pedregulhos que se descarregam de repente. Estávamos abandonados, um naufrágio em pleno oceano a mil léguas das terras.

Por um momento acreditamos surpreender à esquerda um ruído de remos. Parecia uma batida suave, cadenciada, cada vez mais nítida. Ah, que música de esperança, e como todos nos endireitamos para interrogar o espaço! Segurávamos a respiração. E nada víamos. O lençol amarelo estendia-se, manchado de sombras escuras; mas nenhuma dessas sombras, cimos de árvores, restos de muros desabados, movia-se. Destroços, relva, tonéis vazios provocavam falsas alegrias em nós; agitávamos nossos lenços até que, reconhecido nosso erro, tornávamos a recair na ansiedade que continuava a atingir nossos ouvidos, daquele ruído que não conseguíamos descobrir de onde vinha.

– Ah! Estou vendo! – gritou Gaspard bruscamente. – Olhem, lá embaixo, um barco grande!

E ele designou a nós, o braço estendido, um ponto distante. Eu nada vi; Pierre tampouco. Mas Gaspard insistia. Era mesmo um barco. As remadas chegaram-nos mais nítidas. Então acabamos também por avistá-lo. Navegava devagar parecendo girar em torno de nós sem aproximar-se. Lembro-me de que naquele momento agimos como loucos. Erguemos os braços com fúria, demos gritos de despedaçar as cordas vocais. E insultamos o barco, o chamamos de covarde. Sempre escura e muda, a embarcação girava lentamente. Era de fato um barco? Ainda hoje não saberia dizer. Quando acreditamos vê-lo desaparecer, carregou consigo nossa última esperança.

A partir de então, a cada segundo, esperávamos ser engolidos pela queda da casa. Ela achava-se minada, era sustentada apenas por algum muro mais espesso que a arrastaria por inteiro quando desabasse. Porém, o que mais me fazia tremer era sentir o telhado cedendo sob nosso peso. A casa talvez se mantivesse de pé a noite toda; só que as telhas se dobravam açoitadas e esburacadas pelas vigas. Estávamos refugiados à esquerda, sobre caibros ainda sólidos. Mais tarde, os próprios caibros pareceram enfraquecer. Com certeza imergeriam se nós cinco continuássemos amontoados num espaço tão apertado.

Há alguns minutos meu irmão Pierre tornara a enfiar o cachimbo na boca num gesto maquinal. Torcia seu bigode de veterano, o cenho franzino, grunhindo algumas frases surdas. Aquele perigo crescente que o cercava e contra o qual sua coragem nada podia começava a impacientá-lo bastante. Ele cuspira duas ou três vezes na água, um ar de raiva desdenhosa.

Em seguida, como continuássemos a imergir, decidiu desceu do telhado.

— Pierre! Pierre! — gritei, com medo de compreender.

Ele voltou-se e me disse com calma:

— Adeus, Louis... Está demorando demais para mim. Vai sobrar mais espaço para vocês.

E após ter jogado primeiro o cachimbo, por sua vez precipitou-se, acrescentando:

— Boa noite, não aguento mais!

Não tornou a aparecer. Nadava mal. Ademais, com certeza se abandonou, o coração partido por nossa ruína e pela morte de todos os nossos, não querendo mais sobreviver a eles.

Duas horas da manhã soaram na igreja. A noite ia acabar, aquela noite horrível já cheia de agonias e lágrimas. Aos poucos, sob nossos pés, o espaço ainda seco diminuía; era um murmúrio de água correndo, ondinhas acariciantes que brincavam e se empurravam. A torrente de novo se transformara; os destroços passavam à direita da aldeia flutuando devagar como se as águas, prestes a atingir seu nível mais alto, repousassem, relaxadas e preguiçosas.

De repente, Gaspard tirou os sapatos e o paletó. Há um instante eu o via, as mãos unidas, esmagando os dedos. E como eu lhe fizesse perguntas:

— Escute vovô, estou morrendo com essa espera. Não posso mais ficar... Deixe-me ir, vou salvá-la.

Estava falando de Véronique. Quis dissuadi-lo. Jamais teria força para carregar a moça até a igreja. Mas ele insistia.

– Eu consigo. Meus braços são fortes, estou me sentindo em condições... O senhor vai ver!

E acrescentou que preferia tentar salvar a si e a Véronique, naquele momento em que se sentia fraquejar como uma criança, a ouvir a casa se esmigalhar a nossos pés.

– Eu a amo, vou salvá-la – repetia.

Fiquei em silêncio, atraí Marie para junto de meu peito. Gaspard achou que eu estava censurando seu egoísmo de apaixonado e balbuciou:

– Vou voltar para pegar Marie, juro-lhe. Vou encontrar um barco, vou organizar um socorro qualquer... Pode acreditar, vovô.

Ficou só de calças. E, a meia voz, depressa, fez recomendações a Véronique: ela não devia se debater, devia se abandonar sem um único movimento e principalmente não ter medo. A cada frase, minha neta respondia que sim, o ar perdido. Finalmente, após ter feito o sinal da cruz, embora de hábito absolutamente não fosse devoto, escorregou pelo teto, sustentando Véronique por uma corda que lhe amarrara sob os braços. Ela deu um grande grito, seus membros atingiram a água, em seguida, sufocada, desmaiou.

– Prefiro assim – gritou-me Gaspard. – Agora posso responder por ela.

Imaginem com que angústia acompanhei-os com os olhos. Na água branca distinguia os menores movimentos de Gaspard. Ele carregava a moça com a corda que enrolara em torno do próprio pescoço; e assim a transportava, meio jogada sobre seu ombro direito. Por momentos, o peso esmagador fazia-o afundar; no entanto prosseguia, nadando com uma força sobrehumana. Eu deixara de duvidar, ele já percorrera um terço da distância, quando bateu em algum muro escondido sob a água. O choque foi terrível. Os dois jovens desapareceram. Em seguida vi Gaspard reaparecer sozinho; a corda devia ter se rompido. Ele mergulhou duas vezes. Finalmente tornou, encontrara Véronique, que pôs nas costas. Mas, como não mais dispunha de corda para segurá-la, ela esmagava-o ainda mais. No entanto, continuava avançando. Um tremor me abalava à medida que se aproximavam da igreja. De repente quis gritar, estava vendo algumas vigas que os estavam alcançando obliquamente. Minha boca permaneceu escancarada: um novo choque os separara, as águas tornaram a fechar-se.

A partir daquele momento, permaneci bestificado. Meu único instinto era o de um animal pensando em preservar sua vida. Quando a água avançava, eu recuava. Naquele estupor, ouvi por muito tempo uma risada, sem conseguir saber quem ria tão perto de mim. Amanhecia, uma enorme aurora clara. O tempo estava bonito, muito fresco e calmo, como à beira de um lago cujo lençol desperta antes de o sol se erguer. A risada continuava; e, virando-me, encontrei Marie, de pé em suas roupas molhadas. Era ela quem estava rindo.

Ah, a pobre criatura, como estava suave e bonita naquela hora matinal! Vi-a abaixar-se, pegar um pouco de água com as mãos em concha e lavar o rosto. Depois torceu seus belos cabelos louros, prendeu-os atrás da cabeça. Decerto estava fazendo sua toalete, parecia que acreditava estar em seu quartinho no domingo quando os sinos ressoavam com alegria. E continuava a rir com sua risada infantil, os olhos claros, o rosto feliz.

Eu comecei a rir com ela, conquistado por sua loucura. O terror a fizera enlouquecer, e era uma graça do céu, tanto ela parecia encantada com a pureza daquele amanhecer de primavera.

Deixei-a apressar-se, sem compreender, abanando a cabeça com ternura. Ela continuava a embelezar-se. Em seguida, quando acreditou estar pronta para partir, cantou um de seus cânticos com sua fina voz de cristal. Mas logo parou, gritou, como se respondesse a uma voz que a chamava e que só ela escutava:

– Estou indo! Estou indo!

Tornou a seu cântico, desceu pelo teto, entrou na água que a recobriu com doçura, sem qualquer sobressalto. Eu não parara de sorrir. Olhava com um ar feliz o lugar onde ela acabara de desaparecer.

Em seguida, não me lembro de mais nada. Estava sozinho no telhado. A água subira mais. Uma única chaminé permanecia de pé, e acho que me agarrei a ela com todas as forças, como um animal que não quer morrer. Depois, nada, nada, um buraco negro, o vazio.

6

Por que ainda estou vivo? Disseram-me que o pessoal de Saintin chegou por volta das seis horas com barcos e que me encontraram deitado sobre uma chaminé, desmaiado. As águas foram cruéis a ponto de não me levar após ter levado todos os meus, enquanto eu não sentia mais minha desgraça.

Fui eu, o velho, quem insistiu em viver. Todos os outros se foram, as crianças de colo, as moças casadouras, os casais jovens e mais velhos. E eu estou vivo, tal como uma erva daninha, rude e seca, enraizada nos pedregulhos! Se eu fosse corajoso, teria feito o mesmo que Pierre, teria dito: "Não aguento mais, boa noite!" e teria me jogado no Garonne para ir embora pelo caminho que todos seguiram. Não tenho mais filhos, minha casa está destruída, meus campos devastados. Oh, à noite, quando estávamos à mesa, os velhos no meio, os mais jovens uns ao lado dos outros, e aquela alegria me cercava e aquecia! Oh, os grandes dias da colheita e da vindima, quando todos trabalhávamos e voltávamos inflados do orgulho de nossa riqueza! Oh, as belas crianças e as belas vinhas, as belas moças e os belos trigos, a alegria de minha velhice, a recompensa viva de toda a minha vida! Já que tudo isso morreu, meu Deus, por que o Senhor quer que eu viva?

Não há consolo. Não quero ajuda. Vou dar meus campos às pessoas da aldeia que ainda têm seus filhos. Eles vão ter coragem de tirar os destroços da terra e cultivá-la de novo. Quando não se tem filhos, basta um cantinho para morrer.

Só tenho uma vontade, uma última vontade. Gostaria de encontrar os corpos dos meus para enterrá-los em nosso cemitério sob uma laje onde eu fosse me juntar a eles. Contaram que haviam pescado em Toulouse muitos cadáveres arrastados pelo rio. Decidi arriscar a viagem.

Que desastre terrível! Quase duas mil casas desabadas, setecentos mortos, todas as pontes carregadas, um bairro destruído, enterrado na lama, dramas atrozes, vinte mil miseráveis seminus morrendo de fome, a cidade empesteada pelos cadáveres, aterrorizada pelo temor do tifo, o luto por toda parte, as ruas cheias de comboios fúnebres, as esmolas incapazes de curar as feridas. Eu, porém, caminhava sem nada ver em meio às ruínas. Eu tinha minhas ruínas, eu tinha meus mortos, e eles me esmagavam.

Disseram-me que de fato haviam encontrado muitos corpos. Já estavam enterrados em longas fileiras em um canto do cemitério. Haviam contudo tido o cuidado de fotografar os desconhecidos. E, entre aqueles retratos lamentáveis, encontrei os de Gaspard e de Véronique. Os noivos haviam permanecido ligados um ao outro por um abraço apaixonado, haviam trocado na morte seu beijo de núpcias. Ainda se estreitavam com tal força, os braços rígidos, a boca colada na boca, que teria sido necessário quebrar-lhes os membros para separá-los. Por isso haviam-nos fotografado juntos, e dormiam juntos sob a terra.

A única coisa que me resta são eles, essa imagem pavorosa, essas duas belas crianças infladas pela água, desfiguradas, que ainda conservam em seus rostos lívidos o heroísmo de sua ternura. Olho para eles e choro.

Coleção L&PM POCKET (LANÇAMENTOS MAIS RECENTES)

413. **De ratos e homens** – John Steinbeck
414. **Lazarilho de Tormes** – Anônimo do séc. XVI
415. **Triângulo das águas** – Caio Fernando Abreu
416. **100 receitas de carnes** – Sílvio Lancellotti
417. **Histórias de robôs: vol. 1** – org. Isaac Asimov
418. **Histórias de robôs: vol. 2** – org. Isaac Asimov
419. **Histórias de robôs: vol. 3** – org. Isaac Asimov
420. **O país dos centauros** – Tabajara Ruas
421. **A república de Anita** – Tabajara Ruas
422. **A carga dos lanceiros** – Tabajara Ruas
423. **Um amigo de Kafka** – Isaac Singer
424. **As alegres matronas de Windsor** – Shakespeare
425. **Amor e exílio** – Isaac Bashevis Singer
426. **Use & abuse do seu signo** – Marília Fiorillo e Marylou Simonsen
427. **Pigmaleão** – Bernard Shaw
428. **As fenícias** – Eurípides
429. **Everest** – Thomaz Brandolin
430. **A arte de furtar** – Anônimo do séc. XVI
431. **Billy Bud** – Herman Melville
432. **A rosa separada** – Pablo Neruda
433. **Elegia** – Pablo Neruda
434. **A garota de Laredo** – David Goodis
435. **Como fazer a guerra: máximas de Napoleão** – Balzac
436. **Poemas escolhidos** – Emily Dickinson
437. **Gracias por el fuego** – Mario Benedetti
438. **O sofá** – Crébillon Fils
439. **O "Martín Fierro"** – Jorge Luis Borges
440. **Trabalhos de amor perdidos** – W. Shakespeare
441. **O melhor de Hagar 3** – Dik Browne
442. **Os Maias (volume1)** – Eça de Queiroz
443. **Os Maias (volume2)** – Eça de Queiroz
444. **Anti-Justine** – Restif de La Bretonne
445. **Juventude** – Joseph Conrad
446. **Contos** – Eça de Queiroz
447. **Janela para a morte** – Raymond Chandler
448. **Um amor de Swann** – Marcel Proust
449. **À paz perpétua** – Immanuel Kant
450. **A conquista do México** – Hernan Cortez
451. **Defeitos escolhidos e 2000** – Pablo Neruda
452. **O casamento do céu e do inferno** – William Blake
453. **A primeira viagem ao redor do mundo** – Antonio Pigafetta
454. (14).**Uma sombra na janela** – Simenon
455. (15).**A noite da encruzilhada** – Simenon
456. (16).**A velha senhora** – Simenon
457. **Sartre** – Annie Cohen-Solal
458. **Discurso do método** – René Descartes
459. **Garfield em grande forma (1)** – Jim Davis
460. **Garfield está de dieta (2)** – Jim Davis
461. **O livro das feras** – Patricia Highsmith
462. **Viajante solitário** – Jack Kerouac
463. **Auto da barca do inferno** – Gil Vicente
464. **O livro vermelho dos pensamentos de Millôr** – Millôr Fernandes
465. **O livro dos abraços** – Eduardo Galeano
466. **Voltaremos!** – José Antonio Pinheiro Machado
467. **Rango** – Edgar Vasques
468. (8).**Dieta mediterrânea** – Dr. Fernando Lucchese e José Antonio Pinheiro Machado
469. **Radicci 5** – Iotti
470. **Pequenos pássaros** – Anaïs Nin
471. **Guia prático do Português correto – vol.3** – Cláudio Moreno
472. **Atire no pianista** – David Goodis
473. **Antologia Poética** – García Lorca
474. **Alexandre e César** – Plutarco
475. **Uma espiã na casa do amor** – Anaïs Nin
476. **A gorda do Tiki Bar** – Dalton Trevisan
477. **Garfield um gato de peso (3)** – Jim Davis
478. **Canibais** – David Coimbra
479. **A arte de escrever** – Arthur Schopenhauer
480. **Pinóquio** – Carlo Collodi
481. **Misto-quente** – Bukowski
482. **A lua na sarjeta** – David Goodis
483. **O melhor do Recruta Zero (1)** – Mort Walker
484. **Aline: TPM – tensão pré-monstrual (2)** – Adão Iturrusgarai
485. **Sermões do Padre Antonio Vieira**
486. **Garfield numa boa (4)** – Jim Davis
487. **Mensagem** – Fernando Pessoa
488. **Vendeta** seguido de **A paz conjugal** – Balzac
489. **Poemas de Alberto Caeiro** – Fernando Pessoa
490. **Ferragus** – Honoré de Balzac
491. **A duquesa de Langeais** – Honoré de Balzac
492. **A menina dos olhos de ouro** – Honoré de Balzac
493. **O lírio do vale** – Honoré de Balzac
494. (17).**A barcaça da morte** – Simenon
495. (18).**As testemunhas rebeldes** – Simenon
496. (19).**Um engano de Maigret** – Simenon
497. (1).**A noite das bruxas** – Agatha Christie
498. (2).**Um passe de mágica** – Agatha Christie
499. (3).**Nêmesis** – Agatha Christie
500. **Esboço para uma teoria das emoções** – Sartre
501. **Renda básica de cidadania** – Eduardo Suplicy
502. (1).**Pílulas para viver melhor** – Dr. Lucchese
503. (2).**Pílulas para prolongar a juventude** – Dr. Lucchese
504. (3).**Desembarcando o diabetes** – Dr. Lucchese
505. (4).**Desembarcando o sedentarismo** – Dr. Fernando Lucchese e Cláudio Castro
506. (5).**Desembarcando a hipertensão** – Dr. Lucchese
507. (6).**Desembarcando o colesterol** – Dr. Fernando Lucchese e Fernanda Lucchese
508. **Estudos de mulher** – Balzac
509. **O terceiro tira** – Flann O'Brien
510. **100 receitas de aves e ovos** – J. A. P. Machado
511. **Garfield em toneladas de diversão (5)** – Jim Davis
512. **Trem-bala** – Martha Medeiros
513. **Os cães ladram** – Truman Capote
514. **O Kama Sutra de Vatsyayana**
515. **O crime do Padre Amaro** – Eça de Queiroz
516. **Odes de Ricardo Reis** – Fernando Pessoa
517. **O inverno da nossa desesperança** – Steinbeck
518. **Piratas do Tietê (1)** – Laerte
519. **Rê Bordosa: do começo ao fim** – Angeli

520. **O Harlem é escuro** – Chester Himes
521. **Café-da-manhã dos campeões** – Kurt Vonnegut
522. **Eugénie Grandet** – Balzac
523. **O último magnata** – F. Scott Fitzgerald
524. **Carol** – Patricia Highsmith
525. **100 receitas de patisseria** – Sílvio Lancellotti
526. **O fator humano** – Graham Greene
527. **Tristessa** – Jack Kerouac
528. **O diamante do tamanho do Ritz** – Scott Fitzgerald
529. **As melhores histórias de Sherlock Holmes** – Arthur Conan Doyle
530. **Cartas a um jovem poeta** – Rilke
531(20). **Memórias de Maigret** – Simenon
532(4). **O misterioso sr. Quin** – Agatha Christie
533. **Os analectos** – Confúcio
534(21). **Maigret e os homens de bem** – Simenon
535(22). **O medo de Maigret** – Simenon
536. **Ascensão e queda de César Birotteau** – Balzac
537. **Sexta-feira negra** – David Goodis
538. **Ora bolas – O humor de Mario Quintana** – Juarez Fonseca
539. **Longe daqui aqui mesmo** – Antonio Bivar
540(5). **É fácil matar** – Agatha Christie
541. **O pai Goriot** – Balzac
542. **Brasil, um país do futuro** – Stefan Zweig
543. **O processo** – Kafka
544. **O melhor de Hagar 4** – Dik Browne
545(6). **Por que não pediram a Evans?** – Agatha Christie
546. **Fanny Hill** – John Cleland
547. **O gato por dentro** – William S. Burroughs
548. **Sobre a brevidade da vida** – Sêneca
549. **Geraldão (1)** – Glauco
550. **Piratas do Tietê (2)** – Laerte
551. **Pagando o pato** – Ciça
552. **Garfield de bom humor (6)** – Jim Davis
553. **Conhece o Mário?** vol.1 – Santiago
554. **Radicci 6** – Iotti
555. **Os subterrâneos** – Jack Kerouac
556(1). **Balzac** – François Taillandier
557(2). **Modigliani** – Christian Parisot
558(3). **Kafka** – Gérard-Georges Lemaire
559(4). **Júlio César** – Joël Schmidt
560. **Receitas da família** – J. A. Pinheiro Machado
561. **Boas maneiras à mesa** – Celia Ribeiro
562(9). **Filhos sadios, pais felizes** – R. Pagnoncelli
563(10). **Fatos & mitos** – Dr. Fernando Lucchese
564. **Ménage à trois** – Paula Taitelbaum
565. **Mulheres!** – David Coimbra
566. **Poemas de Álvaro de Campos** – Fernando Pessoa
567. **Medo e outras histórias** – Stefan Zweig
568. **Snoopy e sua turma (1)** – Schulz
569. **Piadas para sempre (1)** – Visconde da Casa Verde
570. **O alvo móvel** – Ross Macdonald
571. **O melhor do Recruta Zero (2)** – Mort Walker
572. **Um sonho americano** – Norman Mailer
573. **Os broncos também amam** – Angeli
574. **Crônica de um amor louco** – Bukowski
575(5). **Freud** – René Major e Chantal Talagrand
576(6). **Picasso** – Gilles Plazy
577(7). **Gandhi** – Christine Jordis
578. **A tumba** – H. P. Lovecraft
579. **O príncipe e o mendigo** – Mark Twain
580. **Garfield, um charme de gato (7)** – Jim Davis
581. **Ilusões perdidas** – Balzac
582. **Esplendores e misérias das cortesãs** – Balzac
583. **Walter Ego** – Angeli
584. **Striptiras (1)** – Laerte
585. **Fagundes: um puxa-saco de mão cheia** – Laerte
586. **Depois do último trem** – Josué Guimarães
587. **Ricardo III** – Shakespeare
588. **Dona Anja** – Josué Guimarães
589. **24 horas na vida de uma mulher** – Stefan Zweig
590. **O terceiro homem** – Graham Greene
591. **Mulher no escuro** – Dashiell Hammett
592. **No que acredito** – Bertrand Russell
593. **Odisséia (1): Telemaquia** – Homero
594. **O cavalo cego** – Josué Guimarães
595. **Henrique V** – Shakespeare
596. **Fabulário geral do delírio cotidiano** – Bukowski
597. **Tiros na noite 1: A mulher do bandido** – Dashiell Hammett
598. **Snoopy em Feliz Dia dos Namorados! (2)** – Schulz
599. **Mas não se matam cavalos?** – Horace McCoy
600. **Crime e castigo** – Dostoiévski
601(7). **Mistério no Caribe** – Agatha Christie
602. **Odisséia (2): Regresso** – Homero
603. **Piadas para sempre (2)** – Visconde da Casa Verde
604. **À sombra do vulcão** – Malcolm Lowry
605(8). **Kerouac** – Yves Buin
606. **E agora são cinzas** – Angeli
607. **As mil e uma noites** – Paulo Caruso
608. **Um assassino entre nós** – Ruth Rendell
609. **Crack-up** – F. Scott Fitzgerald
610. **Do amor** – Stendhal
611. **Cartas do Yage** – William Burroughs e Allen Ginsberg
612. **Striptiras (2)** – Laerte
613. **Henry & June** – Anaïs Nin
614. **A piscina mortal** – Ross Macdonald
615. **Geraldão (2)** – Glauco
616. **Tempo de delicadeza** – A. R. de Sant'Anna
617. **Tiros na noite 2: Medo de tiro** – Dashiell Hammett
618. **Snoopy em Assim é a vida, Charlie Brown! (3)** – Schulz
619. **1954 – Um tiro no coração** – Hélio Silva
620. **Sobre a inspiração poética (Íon) e ...** – Platão
621. **Garfield e seus amigos (8)** – Jim Davis
622. **Odisséia (3): Ítaca** – Homero
623. **A louca matança** – Chester Himes
624. **Factótum** – Bukowski
625. **Guerra e Paz: volume 1** – Tolstói
626. **Guerra e Paz: volume 2** – Tolstói
627. **Guerra e Paz: volume 3** – Tolstói
628. **Guerra e Paz: volume 4** – Tolstói
629(9). **Shakespeare** – Claude Mourthé
630. **Bem está o que bem acaba** – Shakespeare
631. **O contrato social** – Rousseau

632. **Geração Beat** – Jack Kerouac
633. **Snoopy: É Natal! (4)** – Charles Schulz
634(8).**Testemunha da acusação** – Agatha Christie
635. **Um elefante no caos** – Millôr Fernandes
636. **Guia de leitura (100 autores que você precisa ler)** – Organização de Léa Masina
637. **Pistoleiros também mandam flores** – David Coimbra
638. **O prazer das palavras** – vol. 1 – Cláudio Moreno
639. **O prazer das palavras** – vol. 2 – Cláudio Moreno
640. **Novíssimo testamento: com Deus e o diabo, a dupla da criação** – Iotti
641. **Literatura Brasileira: modos de usar** – Luís Augusto Fischer
642. **Dicionário de Porto-Alegrês** – Luís A. Fischer
643. **Clô Dias & Noites** – Sérgio Jockymann
644. **Memorial de Isla Negra** – Pablo Neruda
645. **Um homem extraordinário e outras histórias** – Tchékhov
646. **Ana sem terra** – Alcy Cheuiche
647. **Adultérios** – Woody Allen
648. **Para sempre ou nunca mais** – R. Chandler
649. **Nosso homem em Havana** – Graham Greene
650. **Dicionário Caldas Aulete de Bolso**
651. **Snoopy: Posso fazer uma pergunta, professora? (5)** – Charles Schulz
652(10).**Luís XVI** – Bernard Vincent
653. **O mercador de Veneza** – Shakespeare
654. **Cancioneiro** – Fernando Pessoa
655. **Non-Stop** – Martha Medeiros
656. **Carpinteiros, levantem bem alto a cumeeira & Seymour, uma apresentação** – J.D.Salinger
657. **Ensaios céticos** – Bertrand Russell
658. **O melhor de Hagar 5** – Dik e Chris Browne
659. **Primeiro amor** – Ivan Turguêniev
660. **A trégua** – Mario Benedetti
661. **Um parque de diversões da cabeça** – Lawrence Ferlinghetti
662. **Aprendendo a viver** – Sêneca
663. **Garfield, um gato em apuros (9)** – Jim Davis
664. **Dilbert 1** – Scott Adams
665. **Dicionário de dificuldades** – Domingos Paschoal Cegalla
666. **A imaginação** – Jean-Paul Sartre
667. **O ladrão e os cães** – Naguib Mahfuz
668. **Gramática do português contemporâneo** – Celso Cunha
669. **A volta do parafuso** seguido de **Daisy Miller** – Henry James
670. **Notas do subsolo** – Dostoiévski
671. **Abobrinhas da Brasilônia** – Glauco
672. **Geraldão (3)** – Glauco
673. **Piadas para sempre (3)** – Visconde da Casa Verde
674. **Duas viagens ao Brasil** – Hans Staden
675. **Bandeira de bolso** – Manuel Bandeira
676. **A arte da guerra** – Maquiavel
677. **Além do bem e do mal** – Nietzsche
678. **O coronel Chabert** seguido de **A mulher abandonada** – Balzac
679. **O sorriso de marfim** – Ross Macdonald
680. **100 receitas de pescados** – Sílvio Lancellotti
681. **O juiz e seu carrasco** – Friedrich Dürrenmatt
682. **Noites brancas** – Dostoiévski
683. **Quadras ao gosto popular** – Fernando Pessoa
684. **Romanceiro da Inconfidência** – Cecília Meireles
685. **Kaos** – Millôr Fernandes
686. **A pele de onagro** – Balzac
687. **As ligações perigosas** – Choderlos de Laclos
688. **Dicionário de matemática** – Luiz Fernandes Cardoso
689. **Os Lusíadas** – Luís Vaz de Camões
690(11).**Átila** – Éric Deschodt
691. **Um jeito tranqüilo de matar** – Chester Himes
692. **A felicidade conjugal** seguido de **O diabo** – Tolstói
693. **Viagem de um naturalista ao redor do mundo** – vol. 1 – Charles Darwin
694. **Viagem de um naturalista ao redor do mundo** – vol. 2 – Charles Darwin
695. **Memórias da casa dos mortos** – Dostoiévski
696. **A Celestina** – Fernando de Rojas
697. **Snoopy: Como você é azarado, Charlie Brown! (6)** – Charles Schulz
698. **Dez (quase) amores** – Claudia Tajes
699(9).**Poirot sempre espera** – Agatha Christie
700. **Cecília de bolso** – Cecília Meireles
701. **Apologia de Sócrates** precedido de **Êutifron** e seguido de **Críton** – Platão
702. **Wood & Stock** – Angeli
703. **Striptiras (3)** – Laerte
704. **Discurso sobre a origem e os fundamentos da desigualdade entre os homens** – Rousseau
705. **Os duelistas** – Joseph Conrad
706. **Dilbert (2)** – Scott Adams
707. **Viver e escrever (vol. 1)** – Edla van Steen
708. **Viver e escrever (vol. 2)** – Edla van Steen
709. **Viver e escrever (vol. 3)** – Edla van Steen
710(10).**A teia da aranha** – Agatha Christie
711. **O banquete** – Platão
712. **Os belos e malditos** – F. Scott Fitzgerald
713. **Libelo contra a arte moderna** – Salvador Dalí
714. **Akropolis** – Valerio Massimo Manfredi
715. **Devoradores de mortos** – Michael Crichton
716. **Sob o sol da Toscana** – Frances Mayes
717. **Batom na cueca** – Nani
718. **Vida dura** – Claudia Tajes
719. **Carne trêmula** – Ruth Rendell
720. **Cris, a fera** – David Coimbra
721. **O anticristo** – Nietzsche
722. **Como um romance** – Daniel Pennac
723. **Emboscada no Forte Bragg** – Tom Wolfe
724. **Assédio sexual** – Michael Crichton
725. **O espírito do Zen** – Alan W.Watts
726. **Um bonde chamado desejo** – Tennessee Williams
727. **Como gostais** seguido de **Conto de inverno** – Shakespeare
728. **Tratado sobre a tolerância** – Voltaire
729. **Snoopy: Doces ou travessuras? (7)** – Charles Schulz
730. **Cardápios do Anonymus Gourmet** – J.A. Pinheiro Machado
731. **100 receitas com lata** – J.A. Pinheiro Machado
732. **Conhece o Mário?** vol.2 – Santiago
733. **Dilbert (3)** – Scott Adams

734. **História de um louco amor** *seguido de* **Passado amor** – Horacio Quiroga
735(11). **Sexo: muito prazer** – Laura Meyer da Silva
736(12). **Para entender o adolescente** – Dr. Ronald Pagnoncelli
737(13). **Desembarcando a tristeza** – Dr. Fernando Lucchese
738. **Poirot e o mistério da arca espanhola & outras histórias** – Agatha Christie
739. **A última legião** – Valerio Massimo Manfredi
740. **As virgens suicidas** – Jeffrey Eugenides
741. **Sol nascente** – Michael Crichton
742. **Duzentos ladrões** – Dalton Trevisan
743. **Os devaneios do caminhante solitário** – Rousseau
744. **Garfield, o rei da preguiça (10)** – Jim Davis
745. **Os magnatas** – Charles R. Morris
746. **Pulp** – Charles Bukowski
747. **Enquanto agonizo** – William Faulkner
748. **Aline: viciada em sexo (3)** – Adão Iturrusgarai
749. **A dama do cachorrinho** – Anton Tchékhov
750. **Tito Andrônico** – Shakespeare
751. **Antologia poética** – Anna Akhmátova
752. **O melhor de Hagar 6** – Dik e Chris Browne
753(12). **Michelangelo** – Nadine Sautel
754. **Dilbert (4)** – Scott Adams
755. **O jardim das cerejeiras** *seguido de* **Tio Vânia** – Tchékhov
756. **Geração Beat** – Claudio Willer
757. **Santos Dumont** – Alcy Cheuiche
758. **Budismo** – Claude B. Levenson
759. **Cleópatra** – Christian-Georges Schwentzel
760. **Revolução Francesa** – Frédéric Bluche, Stéphane Rials e Jean Tulard
761. **A crise de 1929** – Bernard Gazier
762. **Sigmund Freud** – Edson Sousa e Paulo Endo
763. **Império Romano** – Patrick Le Roux
764. **Cruzadas** – Cécile Morrisson
765. **O mistério do Trem Azul** – Agatha Christie
766. **Os escrúpulos de Maigret** – Simenon
767. **Maigret se diverte** – Simenon
768. **Senso comum** – Thomas Paine
769. **O parque dos dinossauros** – Michael Crichton
770. **Trilogia da paixão** – Goethe
771. **A simples arte de matar** (vol.1) – R. Chandler
772. **A simples arte de matar** (vol.2) – R. Chandler
773. **Snoopy: No mundo da lua! (8)** – Charles Schulz
774. **Os Quatro Grandes** – Agatha Christie
775. **Um brinde de cianureto** – Agatha Christie
776. **Súplicas atendidas** – Truman Capote
777. **Ainda restam aveleiras** – Simenon
778. **Maigret e o ladrão preguiçoso** – Simenon
779. **A viúva imortal** – Millôr Fernandes
780. **Cabala** – Roland Goetschel
781. **Capitalismo** – Claude Jessua
782. **Mitologia grega** – Pierre Grimal
783. **Economia: 100 palavras-chave** – Jean-Paul Betbèze
784. **Marxismo** – Henri Lefebvre
785. **Punição para a inocência** – Agatha Christie
786. **A extravagância do morto** – Agatha Christie
787(13). **Cézanne** – Bernard Fauconnier
788. **A identidade Bourne** – Robert Ludlum
789. **Da tranquilidade da alma** – Sêneca
790. **Um artista da fome** *seguido de* **Na colônia penal e outras histórias** – Kafka
791. **Histórias de fantasmas** – Charles Dickens
792. **A louca de Maigret** – Simenon
793. **O amigo de infância de Maigret** – Simenon
794. **O revólver de Maigret** – Simenon
795. **A fuga do sr. Monde** – Simenon
796. **O Uraguai** – Basílio da Gama
797. **A mão misteriosa** – Agatha Christie
798. **Testemunha ocular do crime** – Agatha Christie
799. **Crepúsculo dos ídolos** – Friedrich Nietzsche
800. **Maigret e o negociante de vinhos** – Simenon
801. **Maigret e o mendigo** – Simenon
802. **O grande golpe** – Dashiell Hammett
803. **Humor barra pesada** – Nani
804. **Vinho** – Jean-François Gautier
805. **Egito Antigo** – Sophie Desplancques
806(14). **Baudelaire** – Jean-Baptiste Baronian
807. **Caminho da sabedoria, caminho da paz** – Dalai Lama e Felizitas von Schönborn
808. **Senhor e servo e outras histórias** – Tolstói
809. **Os cadernos de Malte Laurids Brigge** – Rilke
810. **Dilbert (5)** – Scott Adams
811. **Big Sur** – Jack Kerouac
812. **Seguindo a correnteza** – Agatha Christie
813. **O álibi** – Sandra Brown
814. **Montanha-russa** – Martha Medeiros
815. **Coisas da vida** – Martha Medeiros
816. **A cantada infalível** *seguido de* **A mulher do centroavante** – David Coimbra
817. **Maigret e os crimes do cais** – Simenon
818. **Sinal vermelho** – Simenon
819. **Snoopy: Pausa para a soneca (9)** – Charles Schulz
820. **De pernas pro ar** – Eduardo Galeano
821. **Tragédias gregas** – Pascal Thiercy
822. **Existencialismo** – Jacques Colette
823. **Nietzsche** – Jean Granier
824. **Amar ou depender?** – Walter Riso
825. **Darmapada: A doutrina budista em versos**
826. **J'Accuse...! – a verdade em marcha** – Zola
827. **Os crimes ABC** – Agatha Christie
828. **Um gato entre os pombos** – Agatha Christie
829. **Maigret e o sumiço do sr. Charles** – Simenon
830. **Maigret e a morte do jogador** – Simenon
831. **Dicionário de teatro** – Luiz Paulo Vasconcellos
832. **Cartas extraviadas** – Martha Medeiros
833. **A longa viagem de prazer** – J. J. Morosoli
834. **Receitas fáceis** – J. A. Pinheiro Machado
835(14). **Mais fatos & mitos** – Dr. Fernando Lucchese
836.(15). **Boa viagem!** – Dr. Fernando Lucchese
837. **Aline: Finalmente nua!!! (4)** – Adão Iturrusgarai
838. **Mônica tem uma novidade!** – Mauricio de Sousa
839. **Cebolinha em apuros!** – Mauricio de Sousa
840. **Sócios no crime** – Agatha Christie
841. **Bocas do tempo** – Eduardo Galeano
842. **Orgulho e preconceito** – Jane Austen
843. **Impressionismo** – Dominique Lobstein
844. **Escrita chinesa** – Viviane Alleton
845. **Paris: uma história** – Yvan Combeau
846(15). **Van Gogh** – David Haziot
847. **Maigret e o corpo sem cabeça** – Simenon
848. **Portal do destino** – Agatha Christie

849. **O futuro de uma ilusão** – Freud
850. **O mal-estar na cultura** – Freud
851. **Maigret e o matador** – Simenon
852. **Maigret e o fantasma** – Simenon
853. **Um crime adormecido** – Agatha Christie
854. **Satori em Paris** – Jack Kerouac
855. **Medo e delírio em Las Vegas** – Hunter Thompson
856. **Um negócio fracassado e outros contos de humor** – Tchékhov
857. **Mônica está de férias!** – Mauricio de Sousa
858. **De quem é esse coelho?** – Mauricio de Sousa
859. **O burgomestre de Furnes** – Simenon
860. **O mistério Sittaford** – Agatha Christie
861. **Manhã transfigurada** – Luiz Antonio de Assis Brasil
862. **Alexandre, o Grande** – Pierre Briant
863. **Jesus** – Charles Perrot
864. **Islã** – Paul Balta
865. **Guerra da Secessão** – Farid Ameur
866. **Um rio que vem da Grécia** – Cláudio Moreno
867. **Maigret e os colegas americanos** – Simenon
868. **Assassinato na casa do pastor** – Agatha Christie
869. **Manual do líder** – Napoleão Bonaparte
870(16). **Billie Holiday** – Sylvia Fol
871. **Bidu arrasando!** – Mauricio de Sousa
872. **Desventuras em família** – Mauricio de Sousa
873. **Liberty Bar** – Simenon
874. **E no final a morte** – Agatha Christie
875. **Guia prático do Português correto – vol. 4** – Cláudio Moreno
876. **Dilbert (6)** – Scott Adams
877(17). **Leonardo da Vinci** – Sophie Chauveau
878. **Bella Toscana** – Frances Mayes
879. **A arte da ficção** – David Lodge
880. **Striptiras (4)** – Laerte
881. **Skrotinhos** – Angeli
882. **Depois do funeral** – Agatha Christie
883. **Radicci 7** – Iotti
884. **Walden** – H. D. Thoreau
885. **Lincoln** – Allen C. Guelzo
886. **Primeira Guerra Mundial** – Michael Howard
887. **A linha de sombra** – Joseph Conrad
888. **O amor é um cão dos diabos** – Bukowski
889. **Maigret sai em viagem** – Simenon
890. **Despertar: uma vida de Buda** – Jack Kerouac
891(18). **Albert Einstein** – Laurent Seksik
892. **Hell's Angels** – Hunter Thompson
893. **Ausência na primavera** – Agatha Christie
894. **Dilbert (7)** – Scott Adams
895. **Ao sul do lugar nenhum** – Bukowski
896. **Maquiavel** – Quentin Skinner
897. **Sócrates** – C.C.W. Taylor
898. **A casa do canal** – Simenon
899. **O Natal de Poirot** – Agatha Christie
900. **As veias abertas da América Latina** – Eduardo Galeano
901. **Snoopy: Sempre alerta! (10)** – Charles Schulz
902. **Chico Bento: Plantando confusão** – Mauricio de Sousa
903. **Penadinho: Quem é morto sempre aparece** – Mauricio de Sousa
904. **A vida sexual da mulher feia** – Claudia Tajes
905. **100 segredos do liquidificador** – José Antonio Pinheiro Machado
906. **Sexo muito prazer 2** – Laura Meyer da Silva
907. **Os nascimentos** – Eduardo Galeano
908. **As caras e as máscaras** – Eduardo Galeano
909. **O século do vento** – Eduardo Galeano
910. **Poirot perde uma cliente** – Agatha Christie
911. **Cérebro** – Michael O'Shea
912. **O escaravelho de ouro e outras histórias** – Edgar Allan Poe
913. **Piadas para sempre (4)** – Visconde da Casa Verde
914. **100 receitas de massas light** – Helena Tonetto
915(19). **Oscar Wilde** – Daniel Salvatore Schiffer
916. **Uma breve história do mundo** – H. G. Wells
917. **A Casa do Penhasco** – Agatha Christie
918. **Maigret e o finado sr. Gallet** – Simenon
919. **John M. Keynes** – Bernard Gazier
920(20). **Virginia Woolf** – Alexandra Lemasson
921. **Peter e Wendy** *seguido de* **Peter Pan em Kensington Gardens** – J. M. Barrie
922. **Aline: numas de colegial (5)** – Adão Iturrusgarai
923. **Uma dose mortal** – Agatha Christie
924. **Os trabalhos de Hércules** – Agatha Christie
925. **Maigret na escola** – Simenon
926. **Kant** – Roger Scruton
927. **A inocência do Padre Brown** – G.K. Chesterton
928. **Casa Velha** – Machado de Assis
929. **Marcas de nascença** – Nancy Huston
930. **Aulete de bolso**
931. **Hora Zero** – Agatha Christie
932. **Morte na Mesopotâmia** – Agatha Christie
933. **Um crime na Holanda** – Simenon
934. **Nem te conto, João** – Dalton Trevisan
935. **As aventuras de Huckleberry Finn** – Mark Twain
936(21). **Marilyn Monroe** – Anne Plantagenet
937. **China moderna** – Rana Mitter
938. **Dinossauros** – David Norman
939. **Louca por homem** – Claudia Tajes
940. **Amores de alto risco** – Walter Riso
941. **Jogo de damas** – David Coimbra
942. **Filha é filha** – Agatha Christie
943. **M ou N?** – Agatha Christie
944. **Maigret se defende** – Simenon
945. **Bidu: diversão em dobro!** – Mauricio de Sousa
946. **Fogo** – Anaïs Nin
947. **Rum: diário de um jornalista bêbado** – Hunter Thompson
948. **Persuasão** – Jane Austen
949. **Lágrimas na chuva** – Sergio Faraco
950. **Mulheres** – Bukowski
951. **Um pressentimento funesto** – Agatha Christie
952. **Cartas na mesa** – Agatha Christie
953. **Maigret em Vichy** – Simenon
954. **O lobo do mar** – Jack London
955. **Os gatos** – Patricia Highsmith
956. **Jesus** – Christiane Rancé
957. **História da medicina** – William Bynum
958. **O Morro dos Ventos Uivantes** – Emily Brontë
959. **A filosofia na era trágica dos gregos** – Nietzsche
960. **Os treze problemas** – Agatha Christie
961. **A massagista japonesa** – Moacyr Scliar
962. **A taberna dos dois tostões** – Simenon
963. **Humor do miserê** – Nani
964. **Todo o mundo tem dúvida, inclusive você** – Édison Oliveira
965. **A dama do Bar Nevada** – Sergio Faraco

parisiense, fez de Zola um dos mais conhecidos escritores na França. O tratado *Le roman expérimental* (1880) manifestou a crença do autor na ciência e na aceitação do determinismo científico.

Em 1885, Zola publicou uma de suas principais obras, *Germinal*, retratando uma greve dos trabalhadores das minas de carvão. O livro foi atacado pela direita como sendo um chamado para a revolução. *Nana* (1880), outro famoso trabalho do autor, leva o leitor ao mundo da exploração sexual. *Les quatre Evangiles*, tetralogia iniciada com *Fécondité* (1899), foi deixada inacabada.

Zola arriscou a carreira – e a vida – ao publicar *J'accuse*, uma carta aberta ao presidente da República francesa, editada na primeira página do jornal *L'Aurore*, na qual defendia a inocência de Alfred Dreyfus e criticava a postura antissemita e autoritária do alto escalão do exército francês. Em função disso, Zola foi condenado à prisão e expulso da Legião da Honra em 1898. Conseguiu escapar para a Inglaterra, onde permaneceu até 1899. Nesse mesmo ano, Dreyfus – após o perdão presidencial – foi solto, mas somente em 1906 o Estado reconheceu a injustiça cometida.

Em 29 de setembro de 1902, sob misteriosas circunstâncias, Zola morreu asfixiado por monóxido de carbono enquanto dormia. De acordo com algumas especulações – inclusive do filho de Zola, Jacques-Émile –, os seus inimigos teriam bloqueado a chaminé do seu apartamento para matá-lo. Em 1908, os seus restos mortais foram transferidos para o Panteão de Paris.

Livros do autor na Coleção **L&PM** POCKET

A morte de Olivier Bécaille
J'accuse...! A verdade em marcha

ÉMILE ZOLA
(1840-1902)

ÉMILE ZOLA nasceu em 10 de abril de 1840, em Paris, filho de François Zola, um engenheiro italiano, e da francesa Émilie Aubert. Em 1843, a família se mudou para Aix-en-Provence, no sul da França, onde o futuro escritor conheceu Paul Cézanne, de quem se tornaria grande amigo. Quando Zola tinha sete anos, seu pai morreu, deixando a família em dificuldades financeiras. Em 1858, ele se mudou com a mãe para Paris, onde passou a juventude, e começou a escrever sob a influência do romantismo. A mãe de Zola queria que o filho estudasse Direito, mas ele fracassou no exame de conclusão da escola.

Antes de se dedicar unicamente à ficção, Zola trabalhou na editora Hachette e escreveu colunas literárias, crônicas e crítica de arte para jornais. Nos textos sobre política, não escondia sua antipatia por Napoleão III. Durante os anos de formação, escreveu uma série de histórias curtas e ensaios, além de peças e novelas. Um dos seus primeiros livros foi *Les contes à Ninon*, publicado em 1864. Quando o sórdido romance autobiográfico *La Confession de Claude* foi publicado, em 1865, o autor atraiu a atenção da polícia e da opinião pública. Nessa época conheceu Manet, Pissarro, Flaubert e os irmãos Goncourt e, em 1870, casou-se com Alexandrine Meley, mas foi com a amante, Jeanne Rozerot, que teve dois filhos.

Depois do primeiro romance de sucesso, *Thérèse Raquin* (1867), Zola começou a longa série chamada *Les Rougon Macquart* (1871-1893), uma história social de uma família no Segundo Império, que chegou a vinte volumes, mostrando o mundo dos camponeses e trabalhadores. O resultado foi uma combinação de precisão histórica, riqueza dramática e um retrato acurado dos personagens.

A publicação de *L'Assommoir* (1877), uma descrição profunda do alcoolismo e da pobreza na classe trabalhadora